C0-AZM-561

走吧，为了爱

谢谢和菜菜 ◎著

凤凰出版传媒集团
译林出版社

图书在版编目（CIP）数据

走吧，为了爱 / 谢谢，菜菜著. —南京：译林出版社，2011.11
ISBN 978-7-5447-2422-7

Ⅰ. ①走… Ⅱ. ①谢… ②菜… Ⅲ. ①游记-作品集-中国-当代 Ⅳ. ①I267.4

中国版本图书馆CIP数据核字（2011）第228424号

书　　名 **走吧，为了爱**
作　　者 谢谢和菜菜
责任编辑 王振华
特约编辑 方悄悄
出版发行 凤凰出版传媒集团
译林出版社（南京市湖南路1号 210009）
销售电话 010-84910228
电子邮箱 yilin@yilin.com
网　　址 http://www.yilin.com
集团网址 凤凰出版传媒网http://www.ppm.cn
印　　刷 中国电影出版社印刷厂
开　　本 900×1280毫米　1/32
印　　张 8
字　　数 140千
版　　次 2012年1月第1版　2012年3月第3次印刷
标准书号 ISBN 978-7-5447-2422-7
定　　价 26.00元

译林版图书若有印装错误可向承印厂调换

有些事，你现在不做，一辈子都不会做了。

目录
Contents

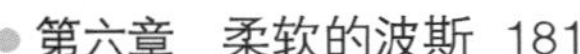

作者序

有些事情，你现在不做，一辈子都不会做了

请你，一定要保留一些梦想，一定要相信自己，一定要接受和喜欢自己的样子，一定要让自己变成你会真心喜欢的样子。如果你想要做的，不是长辈所希望你的样子，不是社会所规定你的样子，请你一定要勇敢地为自己站出来，温柔地推翻这个世界，然后把世界变成我们的。

——来自苏打绿，菜菜赠谢谢

2010年3月17日，凌晨5点30分，天还没有亮，整座城市还在睡梦中。我早早地起来，背起昨夜已经收拾好的行囊，出门前再望了一眼这间住了两年的出租屋，“哐当”一声，关上那扇每天都要重复打开、关上的铁门。东方既白的时候我坐上第一班机场巴士，没有人送行。

那天是我辞去工作，离开这座工作了三年半的城市，开始长旅的日子。

几乎与我同时，我的女友菜菜也辞去了工作。在原来的旅行计划里，我们准备先到我们认识的地方——西藏南迦巴瓦雪山下的直白村，随后到尼泊尔、印度、巴基斯坦，再经由喀喇昆仑公路进新

疆，去看伊犁的薰衣草，再去青海参加玉树的赛马会，最后在雪顿节的时候回到西藏，用五个月的时间完成这一次旅行。

后来到尼泊尔时，我们改变了计划。进入印度之后，我们选择了另一个方向，去了斯里兰卡、马来西亚、越南、泰国、缅甸、菲律宾。8月份回国后，菜菜去了美国念书，我则再一次从西藏出发，一个人一路向西去了尼泊尔、印度、巴基斯坦、伊朗、黎巴嫩、叙利亚、约旦、以色列、巴勒斯坦、埃及，最后从埃及回国。

一直到2011年1月结束旅行时，我一共走了十个月，花费四万块钱，经过十八个不同的国家（包括中国和1月去的老挝），穿越整个亚洲大陆到了非洲的埃及，往返超过六万公里。

要问我为什么辞职去旅行？

说起来有点矫情又过于天真，是为了两个字：梦想。

我想很多人都有过环球旅行的梦想，梦想着去看印度的泰姬陵、埃及的金字塔、古希腊的遗迹、印加人的马丘比丘古城，梦想着穿越撒哈拉沙漠、去亚马逊探寻丛林部落、去北欧追逐极光、去南极看企鹅……但工作后，面对生活、社会、家庭的压力，又有多少人还会记得这些呢？

我只是一个普通的农家儿子，上了一所普通的大学，找到一份在他人眼里尚且不错的工作，原以为人生就会在那一个个项目中延伸下去。可是，当我从南迦巴瓦雪山下归来，便忍不住思考一个问题：

难道我们的一生，真的就只能从出生到上学到上班，为了一间房、一辆车、一份养老金，蝇营狗苟，仰人鼻息？

这是谁规定的人生轨道，让每个人都面目模糊地沿着它走下去，由生到死？

是社会规定的？是长辈控制的？还是我们自己作茧自缚？

在辞职前我和所有人一样，面对着很大的压力。经济来源怎么办？辞掉一份还不错的工作，以后怎么对父母交代？

可能我到底是个脑子简单的人，最后决定这一切都不想。经济来源，有积蓄，用完便够；父母那边，总有办法交代。想得太多了，失去的只会是勇气。

有句话说，有些事，你现在不做，一辈子都不会做了。

穿越亚洲之旅并没有想象的那么困难。在出发之前，我有过许多忧虑，担心我是否可以做到：之前我没有出过国，不知道有廉价的亚洲航空，甚至不知道护照和签证有什么区别，语言方面也只是学生时代学过一点哑巴英语，从来没跟外国人说过话……但最后，所有这些都不再成为问题。

我从一开始战战兢兢地进入老挝，到在尼泊尔指手画脚地用手势和人交流，再到和其他国家的旅行者交朋友，最后抛开旅行指南书闲游中东……很多时候，人不是没有能力去做一件事，而是一开始要么被外界的评价动摇，要么作茧自缚，给自己设置了许多假定的困难，还没着手去做的时候，就断定自己无法做到。

全球最著名的旅行指南Lonely Planet的创办人托尼和莫琳夫妇说过："当你决定好要去一个地方时，旅行中最大的困难已经解决了。"

我要感谢我的女友菜菜，她一直支持、鼓励我辞职旅行的计划，她陪我走过属于我的第一个"外国"老挝，又和我一起完成南亚、东南亚的三个月旅行。记得在尼泊尔徒步珠峰大本营时，我们一起走了十一天，登顶海拔5545米的Kala Patthar峰时，虽然冷得哭了，她还是陪我一起看到了珠穆朗玛峰的日出。在印度时，我们在泰姬陵遭遇了百年不遇的五十几度高温；为了省钱，我们一起在印度吃路边摊；为了省下住宿费，我们睡过新德里机场、科伦坡机场、吉隆坡机场、曼谷机场、德里兰机场，有四十个晚上，我是睡在火车、汽车、飞机上。可是只要有菜菜在，无论条件再艰苦，她都会保证我俩能吃上一份有奶茶、蜂蜜的好早餐；无论什么时候，她都是那么坚强。

还要感谢我乡下的父母和外公外婆。除了几位挚友，我没有告诉其他人我辞职去旅行了。因为害怕亲人们担心，这件事我也一直瞒着他们。

他们一直希望我有所成就，我的梦想也许他们不会理解，但我要把这本书献给爱我的父母和外公外婆——虽然我放弃了职场的追求，但我会拥有我想要的那个世界。

第一章

和旅行同样美好的是爱情

当你决定要去一个地方时，

旅行中最大的困难已经解决了。那么，出发吧！

| 西藏 | 藏东南 | 我们相遇的地方桃花已经盛开 |

★ 南迦巴瓦峰下的相遇

那一刻我就知道了，这是一个外表娇小、内心坚定的女生。

“队伍其他人出发去拉萨了，我准备在这里一直等到南迦巴瓦峰出来为止。”我在巴青农庄的通铺里跟一位驴友聊天。

“我们前天下午看到了南迦巴瓦，上面还有一轮圆月，他们说这个景观是五十年一遇的。”旁边床铺的被子里，忽然钻出一个女生插话说。

这个插话的女生就是菜菜。

这是我们的第一次对话，时间是2009年中秋节后的一天，地点是西藏南迦巴瓦峰下的直白村。

第一次知道南迦巴瓦峰，是在网上看到《中国国家地理》杂志评选“中国最美的山峰”，南迦巴瓦峰排名第一。

2009年国庆，我的“中国景观大道”318国道川藏线之旅终于成行，在我给自己定下的目标里，南迦巴瓦峰是其中最重要的一站。

关于南迦巴瓦，《中国国家地理》杂志对它的评价是“云中的天堂”。根据当地传说，南迦巴瓦峰高耸入云，天上的众神经常降临其上聚会和煨桑，燃起的蔼蔼桑烟在山间缭绕，才使得它终年云雾笼罩，难得一见。

2009年中秋节的下午，我和同伴们来到色季拉山口的南迦巴瓦峰观景台。也许众神也在山上忙着聚会过中秋，厚厚的云雾始终笼罩着南迦巴瓦的整个山体，让我们始终无缘一见。

我们只好抱憾而归，折向南迦巴瓦峰下的直白村，希望能在那里看到这座最美的山峰。

到达直白村的巴青农庄时，正是中秋之夜，外面下着沥沥细雨，巴青农庄里早已坐满了四面八方来的游客。有一桌旅友玩得特别高兴，两位男士引吭高歌，最后竟跳起了贴面舞，满屋哄堂大笑，大家举杯相庆，我们在欢笑声中度过了中秋。

第二天一早醒来，桀骜的南迦巴瓦依然不理会众人的守候，整个山体云雾笼罩。队友们在徒步了附近的雅鲁藏布江小拐弯之后，准备出发前往拉萨，而我为了向往已久的神山，决定一个人留在村子里，等待南迦巴瓦峰的出现。

和队友分别后，我回到旅馆的通铺休息，我和菜菜的第一次对话，也就在这个时候发生的。

我问菜菜，既然已经看到了南迦巴瓦，为什么还继续留在这里。

“色季拉山口太远了，我留在这里，希望能近距离看到南迦巴瓦的山体。”

那一刻我就知道了，这是个外表娇小、内心坚定的女生。

又等了一天，南迦巴瓦峰顶的众神还在开聚会，我们也始终未能看到山峰全貌。菜菜的两个同伴等不及，把她架上车，出发去了拉萨。临别时，我们互相留下联系方式。分别后，我又等了两天，依然无法一睹神山真容，也只好离开了直白村。

从西藏回来的第二天，我在网上遇到菜菜，告诉她，我想等明年春天雅鲁藏布江两岸桃花盛放的时候再去直白，看“漫山桃花的南迦巴瓦”，然后开始长途旅行，从南迦巴瓦到川藏线，从东南亚到澳大利亚，从尼泊尔到印度再到丝绸之路……

我们的话题便围绕着旅行展开了。

我这个未出过国门的菜鸟，总有许许多多要去某某地方旅行的想法，和周围的人说起，他们要么觉得不切实际，要么索性觉得我疯了。

菜菜却一直赞同我的想法，我们聊得非常投机。

那时菜菜已经走过国内绝大部分省份，还去过东南亚各国和澳大利亚，旅行经验比较丰富。那段时间，我每天下班回家后就在电脑前等她上线，分享两个人各自的旅行故事和照片，听她讲她在东南亚的旅行，在澳洲睡机场的故事，在尼泊尔徒步的经历……

有一天，我们聊起喜欢的歌，菜菜说：“我最喜欢五月天，他们那首《倔强》是我最爱的歌，无可替代，我在上海和香港听过好多次他们的演唱会，太激动了！”

我立刻上网搜索了一下最近有没有五月天的演唱会，正好看到12月24日平安夜，在上海有一场。我马上打电话给上海的朋友，请她帮忙买两张门票，然后问菜菜：“我买了两张平安夜五月天上海演唱会的门票，你愿意和我一起看吗？”

菜菜答应了，于是平安夜那天我从广州飞到上海。

演唱会现场的气氛很热烈，唱到那首《私奔到月球》时，大家和着摇滚的节奏，都疯狂地跟着唱、跟着跳。我壮起胆，假装不经意地，突然一把抓住菜菜的一只手，牵着一起唱。

菜菜没有挣开，直到演唱会结束，我们都手牵着手。

演唱会结束我们松开手，出来后，菜菜问：“你的手怎么那么湿？”

我答道：“紧张，流汗了。”

我们就这样在一起了。

后来有一天说起对未来的打算，我跟菜菜提了一个我已经酝酿了一段时间的想法：“我想辞掉现在的工作，沿着丝绸之路，从尼泊尔、印度、巴基斯坦、伊朗一路走过去。”

“我也想，我还打算明年辞职呢。”想不到菜菜这么回答。

她接着说：“‘孤单星球’的创始人托尼和莫琳夫妇当年就是从英国出发，走这条线穿越亚洲，最后到了澳洲，创办了‘孤单星球’。他们写过一本书介绍自己的第一次穿越亚洲的经历，叫做《当我们旅行》，我很喜欢这本书。”

于是我也去读了这本《当我们旅行》。

上世纪70年代的英国，有一对年轻的新婚夫妇，面对生活和未来的困惑，决定放下一切外出旅行。他们怀揣400英镑的旅行支票从伦敦出发，在伊斯坦布尔跨过博斯普鲁斯海峡进入亚洲。囊中羞涩的他们餐风宿露，为了省钱时常要睡在警察局走廊和露营地，很少吃午饭。但旅程的艰辛没有阻碍他们享用精神上的饕餮大餐，他们看到了无比震撼的风景，体验到了奇妙的亚洲风土人情，结识了很多朋友。半年后，当他们穿越亚欧大陆来到澳大利亚，站在悉尼街头，两个人身上总共只剩下两毛七分钱。

于是他们当掉自己的相机，得到够付一周房租和买面包的钱。因为周围的人不断问他们关于旅行的问题，他们决定出版一本旅行指南书。后来，他们成立的公司成为全世界最大的独立旅行信息提供商。

这就是“孤单星球”出版公司创始人托尼和莫琳夫妇的传奇故事。

我和菜菜都很喜欢《当我们旅行》里的一句话：当你决定要去一个地方时，旅行中最大的困难已经解决了；那么，出发吧！

于是，我们决定春节后一起辞去工作，去走属于我们的《当我们旅行》之路。

★一个拖油瓶的故事

我的第一次出国，被菜菜戏称为“一个拖油瓶的故事”。

“你知道琅勃拉邦吗？我下个月要去那里，以前亚航促销时我抢了去老挝的免费机票。”菜菜对我说。

“琅勃拉邦，这个名字很好听，是什么地方？”对我这个菜鸟来说，对东南亚旅行的概念只停留在旅行团“五天畅游新马泰”的宣传册上，自然对琅勃拉邦一无所知。

“是老挝的一个很美丽的小镇，我给你发点资料。”菜菜于是在网上找了一些琅勃拉邦的信息发过来给我扫盲。

像我这种“见山不是山，见水不是水”的没见识菜鸟，当时就被网络上琅勃拉邦古朴的寺庙和清晨布施的图片引诱了，而且在辞职前还有一周的带薪年假，不用掉也浪费，于是，我决定在1月和菜菜一起去一趟老挝，这也就成了我的出国旅行第一遭。

长期以来，我被嬉皮士的传奇故事吸引，一直希望出国旅行的第一个国家是嬉皮士东方朝圣的终点尼泊尔，那里有佛祖的故乡蓝毗尼，还有绵延的喜马拉雅雪山……我做梦也没想过，自己会先到这个国土形状像鸭掌的国家——老挝。

既然决定去了，我就得去准备出国的手续。我就像是一个没见识的乡巴佬一般，只模模糊糊地听周围的人说过出国要办护照、签证，但不知道护照跟签证到底是什么关系。

那时不好意思问菜菜，生怕姑娘家一听说要带这么没见识的一个人出门，反悔了可怎么办。

于是我私下问一个去过欧洲的朋友："哎，我要出国去玩了，是不是要办护照啊？还是要先办签证？"

"你先回家去办一本护照，然后再去申请签证，像这样啦，你看看我的。"

原来，护照就是一个本本，签证是盖在上面的入境许可。

"你要去哪个国家嘛？"朋友好奇地问。

"老挝。"

"老挝在哪里啊？是不是一个国家？"

"*&%$&*#……"

于是我找了个周末再请了一天假，回家乡去办了护照。因为菜菜买的回程机票是从泰国起飞的，所以我也得办两个签证：老挝和泰国的。其实我打听到自己去领事馆办老挝、泰国的签证都不难，还可以直接过境去落地签，但一听到"领事馆"，我就觉得是个要说英语的地方，万一对方用英语问我问题，我答不出来，被拒签了怎么办？到底放心不下，只好在网上找了一家公司，花钱代办了老挝、泰国签证。

我跟菜菜说，第一次出国对我来说有特殊的意义，我想走陆路，从昆明坐车到老挝的琅勃拉邦。我一直觉得坐飞机旅行太快了，那种感觉不真实，陆路才是更好的体验方式。

菜菜立刻说："那我也不要免费机票了，我陪你从昆明坐车到琅勃拉邦。"

从昆明到琅勃拉邦的班车是下午6点发车，就算不塞车，正常车程也要二十四个小时，幸好我们买的是卧铺。车上除了我们俩是游客，其他人都是去老挝经商的。

第二天早晨车开到勐腊，中午11点多到了中老口岸。我们没有健康证，被喊到楼上去填表，一个人交50块钱，海关就发了一张黄皮的健康证——没有任何检查，我们就"被"健康了。

过了中国海关，继续前往到老挝海关，递上护照，工作人员索要1美金，我这种菜鸟不敢不从，也不争论，给他钱，顺顺当当地盖上入境章了事。菜菜没有事先办好签证，要在另一个窗口办落地签，再回来这个窗口，同样被索要1美金。

"出国啦！"

过了关，就算第一次出国了，我小小地激动了一番，被菜菜嘲笑我是乡下人进城。

老挝的旅行我没做过功课，下车后就跟在菜菜屁股后面去找旅馆。后来从琅勃拉邦到万荣、万象，一路上的衣食住行都由菜菜安排。我这个英文盲羞于与外人交流，只能亦步亦趋地跟在菜菜后面，连买口吃的都要她出面。

菜菜唉声叹气地说："唉，我一个姑娘家出国旅行本来已经不容易了，身边还要带着一个拖油瓶……"

我就这样成了一个重达一百二十斤的负累。

在老挝的旅行中，我除了遇到人说声"Hello"之外，就没有跟其他人说过话。在离开老挝去泰国曼谷的火车上，菜菜终于忍不住了。

"谢谢，你知不知道，你在老挝连一句话都没跟人说过！喏，你看，那边有个老外在看曼谷地图，你过去借过来给我看一下。"我们没有带泰国的旅行指南和地图，正在讨论到曼谷后怎么走。

"这个，这个，问人借地图该怎么说？"我被菜菜说得很羞愧，却又无可奈何地问出一个更让人羞愧的问题。

"你说'Excuse me, may I have a look at your map'就可以了。"

"借东西不是应该用borrow这个词吗？"我将信将疑，怕跑过去说错了就糗了。

"放心吧，就说'May I have a look at your map'就行了，乖，去吧。"菜菜对"拖油瓶"循循善诱。

我在嘴里把这句话轻轻地反复念了几遍，生怕一会儿说错了。

深呼吸一下之后，我走到看地图的老外前面，装作很淡定地说：“Excuse me，may I have a look at your map?”

老外很爽快地答应了，把地图递给我。我抓住就往回走，还忘记了告诉他我是要拿回座位去看的。

回来一坐下，菜菜已经笑得趴在桌子上：“哈哈，你刚才一蹦一跳地走回来那样子好喜感啊，借个地图至于高兴成那样吗？哈哈哈。”

从老挝回来后，菜菜有时想起这件事，还要翻出来把我挖苦一番，称之为“一个拖油瓶的故事”。

⋆ 无与伦比的美丽

在那座时间都停止流转的小城，爱情也变得分外漫长。

最美好的事物，往往是偶得的。以前我做梦也没想到，自己出国旅行的第一站，会是国土形状像鸭掌一般的老挝。但到了琅勃拉邦，我心里就暗暗地庆幸，自己初出国门的第一站会是这个宁静安详、美得无与伦比的小城。

也许这就是所谓的“无心插柳柳成荫”吧。

认识琅勃拉邦的美丽，是从她的名字开始的。初次听菜菜说起时，我就觉得这个名字很有韵律，念起来琅琅上口。

琅勃拉邦是古澜沧国的都城，8世纪时，一位老族首领统一老挝全境，建立了古澜沧国，并在湄公河与南康河交汇处立都，取名香东香通，这就是琅勃拉邦的前身。

时至今日，琅勃拉邦依然是老挝的佛教中心，佛教的影响深深地渗入到了民众的生活当中。

在琅勃拉邦人的一天里，清晨的布施算最重要的一件事。天还没亮，家家户户就早早地起来准备好糯米饭和水果，安静地跪在路边，等待附近寺院僧人们的到来。老挝人信奉的小乘佛教要求僧侣过午不食，僧人们一天早午餐的食物，全靠清晨布施而来。如今，一睹这项历经千年而悠然不绝的古老习俗，已经成为游客来到琅勃拉邦必做的一件事了。

我和菜菜清晨五点半起来，走到希萨万旺大街上，这是琅勃拉邦旧城的主干道，也是清晨布施最集中的路段。此时天还没亮，小城笼罩在一层薄薄的晨雾之中，显得安详、静谧。等待布施的民众已经早早地跪在路旁，每个人面前都放着一个小竹篮，里面备好供奉僧人的糯米饭和水果。路上游人三三两两，也像我们一样徘徊在布施民众较多的地方，翘首盼望着僧人的到来。

六点左右，游人中一阵骚动，只见一队身穿橙黄色僧衣的僧人出现在大街上，队伍由老及少，排列整齐。僧人们手捧钵盆，队伍缓慢地行至布施民众的前面停下。带头的僧人先走到第一位施主的前面，略微欠身，放低手上的钵盆，布施的人便拿起竹篮，往里面放入一把食物。整个过程中完全没有语言的交流，僧人们欠身行礼的姿态不卑不亢，布施者低眉回礼，施与受都安然而肃穆。

布施结束时已近早上8点，在那之后，新一天的生活便开始了。

市场的小贩摆出摊档，餐馆的伙计也打开门营业。我和菜菜在路旁小歇一会儿后，走到Joma Café，在慵懒的阳光下享用一份悠闲惬意的早餐。

早餐后我们各租了一辆自行车，沿着希萨万旺大街骑行。

道路两旁是一间间由殖民时期的老旧别墅改建而成的旅馆和餐厅，精致而有格调，一条条小街巷从希萨万旺大街向左一直延伸到湄公河边，向右一直延伸到南康河边。这里没有现代化的楼房，只有一栋栋从法国殖民时期保留至今的混合着法式典雅与老挝风情的别墅，掩映在郁郁葱葱的繁茂植被之中。懂得生活的琅勃拉邦人在院落里栽花种树，再养上几只小猫小狗，日子过得悠闲自得。

午后从香通寺出来，我们继续骑着自行车徜徉在湄公河边的马路上。这里的马路不似现代城市的车水马龙，偶尔一辆小汽车或三轮摩托驶过，却不影响小城的清幽。

有人说，在琅勃拉邦，就连时间也会因为慵懒而变慢。一路缓缓骑到南康河岸，我们把自行车停在一边，静静依偎在河边，望着对面的青山碧水，决定让时间继续慢下去。

“Konijiwa~~”后面的一声日语招呼把我们从沉醉中唤醒。

“Ice cream. Ice cream.”原来是一位骑自行车卖冰棍的老人，以为我们是日本人，笑呵呵地跟我们推销他的冰棍。

“We’re Chinese.”菜菜向老人更正，老人又乐呵呵地跟我们鞠个躬，道一声“你好”。他的笑声是那么开怀，虽然只是卖着冰棍聊以为生，那份享受生活的由衷快乐，却让我们深深感动，至今未忘。

我们双手合十，身体微躬，道声“萨拜迪”，用老挝的方式回了一个礼。跟老人买了两根冰棍，是小时候吃的那种，虽然只有淡淡的甜，却让人在这美丽的小城回忆到童年那单纯的味道。

也许，这就是琅勃拉邦的味道。

或许是因为对佛的虔诚吧，琅勃拉邦人总给人一种与世无争的感觉，不管何时，总是面带微笑，和善待人。虽然人们的生活不算富足，但他们拥有的那份平和快乐的心境，却慢慢地浸染了我们。原来在都市中庸庸碌碌的灰色心境，就这样被琅勃拉邦的金色阳光照亮了。

夕阳西下，晚风轻拂，我们沿着湄公河骑车回旅馆，下坡处，我们手牵手让两辆自行车顺路滑下。风吹长发，撩起裙摆，人生如此，夫复何求。

菜菜哼起苏打绿的那首《无与伦比的美丽》：

天上风筝在天上飞

地上人儿在地上追

……

你形容我是这个世界上

无与伦比的美丽

我知道你才是这世界上无与伦比的美丽

那份让时间也要在这里变慢的悠然从容，就是琅勃拉邦无与伦比的美丽。

★ 环游世界的曲奇饼

那是我们说好要一起去到的地方，在我心里不会改变。

琅勃拉邦老城边的普西山，是看湄公河日落的好地方。

我和菜菜在一天傍晚爬上了普西山的山顶，到达时，那里早已聚满来自世界各地的游客。普西山不高，从山顶四顾望去，琅勃拉邦四面皆山，湄公河与南康河如两条玉带环绕，城里街道整齐划一，古朴的屋舍俨然有序，掩映在繁茂的红花绿树之中。

普西山上的日落没有波澜壮阔的气势，也没有气象万千的云霞，她是柔情似水的。日落时的暖调光线，仿佛总有着一股魔力，能刹那间充盈心胸，让人着迷。

我们坐在山顶的一块大石头上，和世界各地的游人一起，看这醉人的日落。

“普西山的日落好温柔啊。”菜菜靠着我说。过一会儿，她又从背包里拿出一个小袋，说：“有点饿了，要不我们就在这里把这袋曲奇饼吃了吧。”

“好啊，你终于舍得吃啦。”我接过小袋，帮她打开袋口。

这袋曲奇饼干，是来老挝之前，我在好友于玲的“心意烘焙坊”做的，期间还有一小段故事。

菜菜很喜欢蛋糕之类的西点，我们有个小梦想，等我们走遍世界，一起看遍地球上各个角落的日出日落后，就找一个最喜欢的地方住下来，开一间旅馆。旅馆里还要有一个小咖啡馆，让世界各地的旅行者们聚集在这里，吃我们亲手做的糕点，笑谈旅途趣闻。我们就那样琴棋诗酒，淡泊度日。

为了实现这个梦想，首先我得先学会做西点，而且我要先做给菜菜吃。于是我在上班的城市找到一家教人做西点的烘焙坊，认识了志趣相投的于玲，周末有时去她那里学烘焙。

于玲原来在香港工作，后来厌倦了上班的日子，就回到珠江边的小城江门，在横岭市场对面开了一家烘焙坊，取名“心意”，自称是“大隐隐于市”。平日里她教客人制作西点，兴致起了就把店交给帮忙的姑娘，自己外出旅行。

有一次，我在于玲的烘焙坊里做好一份曲奇饼干，装入盒子里固定好，从广东快递给在上海的菜菜。第二天的下午茶时间，菜菜吃到了这份“心意”曲奇，打电话来又哭又笑对我说：“都已经碎掉啦，笨蛋！”

因为曲奇饼干不容易坏，出发去老挝前，我想再做一份带在路上吃。这一次，我可会小心，不会再让它碎掉。

饼干做好在烤箱里烤的时候，我看到旁边一个女生在给爸爸做的生日蛋糕上写祝福语，便突发奇想：老挝是我出国旅行的第一站，接下来，我和菜菜还会去很多地方，那么，把我们想去的地方的名字都写在曲奇饼上，会不会很有意思？

于玲说：“真浪漫啊，那就试试呗！”

说做就做，曲奇饼出炉后，我和于玲融化了两块巧克力，把巧克力浆倒进一个袖珍漏斗里。然后我一手抓着漏斗的柄，一手握住一个曲奇饼，开始在饼面上写字。

我一边写，一边对于玲说：“其实我和菜菜很想像‘孤单星球’的创始人夫妇那样，做一次穿越欧亚大陆的旅行，但今年估计我们只能去尼泊尔、印度和巴基斯坦三个国家。不过我还是把欧亚大陆要去的地方都写上，希望未来我们能早点去到那里。”

和在大蛋糕上写字相比，在一个个小饼干上写地名很不容易。一个多小时后，我才写完了四十多块饼干。

琅勃拉邦、直白、珠峰、加德满都、蓝毗尼、瓦拉纳西、泰姬陵、菩提伽耶、斯里兰卡、浦甘、拉合尔、伊斯法罕、伊斯坦布尔、耶路撒冷、爱琴海、金字塔……也不管是国家、地区还是景点，我只随着自己的心思写过去。

看着这些梦想中的地名变成一个个歪歪斜斜的巧克力字，凝固在曲奇饼上，虽然极不工整，但我心里的成就感就别提啦！

在昆明和菜菜会和时，我把这一袋曲奇饼交给她，对她说：“看看里面的曲奇，这次有特别的东西哦。”

菜菜拿出一个，大叫道：“这是你自己写上去的吗？”又拿出几个，大声念出上面的地名。

我说：“我把我们想去的地方用巧克力写了上去，希望能早点去到。你饿不？先吃一块吧。”

“不要，舍不得吃，我要留着。”菜菜低头，小心地把装曲奇饼的袋子放进小背包里，不肯让我看她眼睛。

这袋曲奇饼就由菜菜一路背着，直到在普西山看日落的这时，才舍得拿出来吃。

挤在山顶的游客们在夕阳西沉后，已经陆陆续续下山，山下的琅勃拉邦老城也已经华灯初上，只有湄公河的水依然温柔地流淌。我和菜菜静静地坐着，看着日落后西边天空那一片经久未散的玫红，一块一块吃起了曲奇饼。

“这个是珠峰，给谢谢吃。”菜菜拿出一块，塞到我嘴里。

“这个是泰姬陵，给菜菜吃。”我又拿出一块，塞到菜菜嘴里。

“这个是耶路撒冷，给谢谢吃。”

“这个是斯里兰卡，给菜菜吃。”

……

“这个是爱琴海，一定要给菜菜吃。”我拿到一块写着“爱琴海”的饼干，这是菜菜说了许多次想去的地方。

菜菜接过后，却把这块曲奇饼掰成两半，递我一半说：“两个人一起吃，以后要一起去，我们要在土耳其搭轮船，渡过爱琴海到希腊去，要躺在甲板上，一起看爱琴海的日出日落。”

“嗯，我们要一起躺在甲板上，看爱琴海的日出日落。”

有句话是这么说的：所谓相爱，就是两个人肩并肩，一起看看这个寂寞的人间。

没有想到的是，在走完上半年的旅程后，菜菜去美国念书，我又继续往西，去到了曲奇饼上写的几乎所有地方。因为拿不到签证不能去到土耳其，我没办法渡过爱琴海去希腊，而这，正是我们在普西山上分食“爱琴海”曲奇饼时，许诺要一起去的地方。

这是千真万确的事，人生就是这么神奇。

⋆ 这是我们的纪念日

当时在山顶的众神，其中必有一位是月老，为我们牵起这段千里姻缘。

佛说：前世的五百次回眸，才能换得今生的一次擦肩而过。

我一直相信我和菜菜的相遇是命中注定的，是南迦巴瓦神山的安排。2009年中秋之夜，我们在南迦巴瓦峰下的直白村相遇，守候四天，没有看到南迦巴瓦。几个月后春暖花开，我们携手重回直白。五天之后，南迦巴瓦峰终于向我们露出真容。而这天，正好是我们在一起的第一百天——这将是我们毕生难忘的日子。

结束老挝的旅行后，我回单位办完离职手续，背起行囊继续出发，一个人经由西安，坐火车从青藏线到拉萨。火车是傍晚六点到，下午菜菜已经从上海飞到拉萨，在平措青旅等我了。

第二天睡了个懒觉，在拉萨的阳光和茶馆里度过慵懒的一天，隔天一早，我们坐车去直白村所在的林芝地区。

三年前在《中国国家地理》的“景观大道”特辑里看到一张阳

春三月之际，米林桃花在雅鲁藏布江边盛放的照片时，我就决定了一定要在春天来一次藏东南。

这次，我和菜菜打算守在直白村，不看到南迦巴瓦雪山，就不走了。

没过多久，车子就装满了人，晃晃悠悠地出发了。菜菜延续上车即睡的传统，一开车马上开始呼呼，我看了会窗外，也慢慢睡着了。

路上有很多检查站和限速站，车子走走停停，我也时睡时醒。翻过米拉山口时，山上下起了大雪，四周一片苍茫。

迷迷糊糊中，我不时睁开眼睛望一下窗外，忽然看到公路两旁山坡下的村子里，房前屋后的树上堆满了粉红。是桃花！我顿时精神了起来。

随着海拔的降低，我们越来越靠近号称“西藏江南”的林芝，公路两旁的桃花林出现得也越来越密集。

大巴到达林芝的八一镇时已是晚上七点，我们在镇上住了一晚，次日早上转车到直白村所在的派镇。

车子开出八一镇，公路两旁又不时出现一小片一小片的桃花林，过了尼洋河与雅鲁藏布江汇流的地方后，桃花开得简直像灿烂的红云。雅鲁藏布江静静地流淌，两岸的雪山脚下桃花处处盛放，藏式民居掩映在桃花林中，好一个“西藏江南”的桃花源。

到了派镇，我打电话请直白村的洛典出来接我们。从派镇到直白村开车要大约半个小时，一上车我就问洛典，今天能看到南迦巴瓦峰吗？

“今天上午南迦巴瓦峰出来了，下午不一定。”洛典说。南迦巴瓦永远让人捉摸不透。

车子往前走到了观景台，山间依然云雾缭绕，山峰完全被遮挡，我们还是未能一睹神山风采。

这一次，我们还是住在初次认识的巴青农庄，找回通铺里我们去年睡的铺位，下午也像去年一样泡上茶。唯一的不同，我是和菜菜牵手坐在巴青农庄的门口，边和洛典一家拉拉家常，边等南迦巴瓦峰的出现。

神山似乎依然要考验我们的真诚，直到天黑还是没有露出它的真容。但我们这次有足够的诚意，也有足够的时间，会一直等到它出现。

在直白村住了四天，我们一直没能看到南迦巴瓦峰。等待的日子过得也十分惬意，或泡上一杯茶坐在巴青农庄的门口，或到附近的桃花林里散步，或坐在小溪边把脚泡在冰凉的雪山融水里。等待之余，我们也每天迎来一批满怀希望而来的游人，又送走一批失望离去的。

南迦巴瓦峰的云雾非常神奇，有时，哪怕一整天阳光明媚，碧空如洗，南迦巴瓦峰还是会一直被云雾笼罩，难怪被称作“云中的天堂”。

洛典说清晨是最容易看到南迦巴瓦的，第五天清晨起来时，天空晴朗，但南迦巴瓦依然云雾缭绕。吃早餐的时候，沿雅鲁藏布江峡谷飘来的云层忽然在天空汇聚，不一会儿外面下起大雨，而后又转成了雨夹雪。

看来今天又没希望了！菜菜索性跟洛典要了壶甜茶，拉我坐进屋里聊天。将近中午，雨雪停了，天气转好，太阳也不时露头。我和菜菜商量，在旅馆里住了几天，都呆得乏了，决定和朋友Tracy一起去徒步南迦巴瓦峰大本营。

俗话说“天有不测风云”，这句话放在南迦巴瓦这里再适用不过。快走到直白村和格嘎村之间的桥边时，刚刚还是蓝天白云，突然雅鲁藏布江对岸的山后涌出一片乌云，黑压压地朝南迦巴瓦峰这边飘来，不一会儿对面的山上就下起大雨。

看形势不妙，我们迅速跑向大桥，还没到桥头，大雨已经追到，我们赶紧钻到底下的桥洞里避雨。雨越下越大，后来又变成了冰雹，山水也从山上流下来，经过桥洞，又流入雅鲁藏布江。我们在桥洞比较高的地方待了一个多小时，大雨和冰雹才止住，天空也逐渐放晴。这时地上更加泥泞，上大本营的路也更难走，我们只好打道回府。

回到巴青农庄已经是下午三点多，半天之内，我们在同一个地方经历了天晴、多云、大雨、下雪、天晴、大雨、冰雹、又天晴的天气变幻，大家都感慨万分。

但没有人想到，南迦巴瓦将带给我们一个更大的惊喜。

下午，大家还是像往常般在巴青农庄门口摆好三角架，一边聊天，一边不带什么希望地等山峰的出现。

也许今天的雨雪冰雹把天上的云用光了，傍晚，缭绕在南迦巴瓦峰上的云雾渐渐散去，山体由下而上的慢慢开始显现，最后，南迦巴瓦终于在蓝天白云的映衬下露出了它的真容。

为了看到这个景象，前前后后，我已经在这个村子等待了九天。

在场的各人没有欢呼雀跃，反而是一片寂静，只有快门的声音响成一片。

我和菜菜拍了一小会儿，就放下手里的相机，坐在巴青农庄门前的经幡下。菜菜将头靠在我的肩膀。我们在南迦巴瓦峰下相识，当时并未想到，我们会一起走过那么远的路程，又再次回到这里。

“其实今天是我们在一起的第一百天纪念日。”我告诉菜菜。

在出发前，我已经算好了日子，只是没想到这一天会是这么特别。

我们把这个事告诉了在场的所有人，当晚，大家一起吃饭，算作给我们庆祝。洛典的妈妈还打了一大壶青稞酒请大家喝，又穿上藏袍、戴上藏帽，把我们拉到前面，给我们献上洁白的哈达，用藏人的方式给了我们祝福。

在一片祝福声中菜菜哭了，又很快擦掉眼泪。我其实也感动得想哭，只是拼命忍住。

我又想起那个传说，由于南迦巴瓦峰高耸入云，天上的众神经常降临其上聚会和煨桑，燃起的蔼蔼桑烟在山间缭绕，使其终年难得一见。

如果这传说是真的，那么去年中秋，我在直白守候四天不见南迦巴瓦，当时在山顶聚会的众神，其中一位必定是月老，为我们在神山脚下牵起了这段千里姻缘。

⋆ 拖油瓶翻身记

MBA英语对阵大舌头英语，大舌头完胜！

在正式出去旅行之前，我最担心的问题是金钱、签证和语言。

钱，我工作的时候存了一点，初时担心这点微薄的积蓄不能支持自己走很久，不过随着旅行经验的积累，我得到了许多省钱的旅行经验。

签证问题，我初时是找旅行社代办，而且旅行开始阶段是在中国的周边国家，拿到签证还是很容易的。因此语言便成为我出国旅行的第一大问题。

毕业四年后，在学校里学的那点哑巴英语也逐渐被时间抹掉。在老挝时，我这个英文盲羞于与外人交流，每天亦步亦趋地跟在菜菜后面，由她打点衣食住行，最后被嘲笑成一个“拖油瓶”。

知耻而后勇，方为大丈夫。

离开直白后，菜菜因为工作交接的问题要先回趟上海，我一个人先到尼泊尔去，菜菜过三周再从上海飞到尼泊尔来与我会合。

在拉萨分别时，菜菜很担心我这个不会英语的“拖油瓶”一个人到尼泊尔能不能照顾好自己。

“放心吧，我可是从小混大的。”我嘴里这么说，其实心里在想，如果“拖油瓶”不趁这个机会翻身，那我这辈子就算是抬不起头了。

我遇到的第一个问题便是海关。以前为了逃避去领事馆说英语，我把签证都交给旅行社代办，这一次，我要从西藏直接入境尼泊尔，面签这件事是逃也逃不掉了。

尼泊尔的海关，安检基本靠手，排队基本没有，问讯基本靠吼，向海关讨要入境卡还得被索贿200卢比（1人民币≈11卢比）。海关官员伸出两根手指，用口音古怪的中文大叫：“200尼币，200尼币。”我这种不会说英文的菜鸟只能乖乖就范，交了钱才顺利盖到入境章。

在海关登记的时候，已经有很多去加德满都的小车司机上来拉客了，这种小车拼满四五人就走，速度快，自然也比较贵，要价600到700卢比。

我刚被海关要去200卢比，不乐意再花高价去坐车。通关过来的人很快都上了小车往加都出发，我只好一个人背着大包找人问路。

“Kathmandu，Bus；Kathmandu，Bus……”我带了个电子词典出门，加德满都的英文怎么念，我是查好了的，只是学生时代学的哑巴英语荒废多年，我已经忘了用英文怎么说“请问哪里有去加德满都的巴士”，只好对周围的人不断地念着这两个单词。

终于有人领悟了我的意思，带我从海关往前走了不到一百米，指着路边一辆残破的巴士说“Kathmandu”，大概这就是去加德满都的巴士了。

尼泊尔国内的公共交通基本是靠这种在中国属于淘汰品的残破巴士，这种车也被称为local bus（当地巴士），区别于外国游客乘坐的车况较好的tourist bus（游客巴士）。

那辆当地巴士上只有我和两个老外游客，也许平日里在这乘坐当地巴士的外国人不多，周围村子的小孩都叽叽喳喳地围上来，像看动物园里的动物一样看着破车里的三个人。

等了两个多小时车子才开动，那一瞬间，很多尼泊尔人突然从周围冒出，挤上车来，原来只有我们三人的车厢霎时就坐满了。原来尼泊尔人知道开车的时间，都等在周围阴凉的地方，只有我们三人像傻瓜一样坐在烈日曝晒下的破车里，像动物一样给人观赏。

他们真聪明。

四个多小时后，当地巴士在一个杂乱异常的车站停下。说是车站，实际上只是公路边一个泥土地的停车场，横七竖八地挤着数十辆同样破烂的当地巴士。我背起行囊走到公路边，对着加都的地图，试图在这个纷繁复杂的地方给自己找到定位点，然后找到去外国游客聚集的泰米尔区的路，可惜这样的尝试根本不起效果，我只好再次使出在樟木口岸问路的笨法子。

“Tamel、Tamel，Tamel、Tamel。”我在路边随便逮住一个年轻人，开口就问他们泰米尔区怎么走。因为怕念错单词，我特意把泰米尔的英文“Tamel”反复念两次，一次升调、一次降调。

泰米尔区在加德满都倒是人人知道，经过路上许多热心的尼泊尔人指路后，我走了半个多小时，终于摸到了泰米尔区。

这个时候的泰米尔区已经华灯初上。早上与我一起在樟木通关、坐小车来加都的游人，早已在泰米尔的旅馆里洗完澡，吃完饭，在街上逛了一个下午。但我对自己这灰头土脸的迟来者的状态却非常满意，凭借几个单词和手势，我像尼泊尔人一样从边境来到这里，省下了一大半的交通费。

解决了“行”的问题之后，接下来的大问题就是“吃”。

刚开始出去吃饭的时候，对着都是英文单词的菜单，我一下就头晕了。定下神来仔细一看，其实菜单上还是有挺多简单的食物单词是我认识的，比如noodle和rice、bread和cake、potato和tomato、water和coke、以及beer和juice，但复杂点的就不认得了。伙计在旁边等着点菜，我又不好意思让人久等，只好迅速点个最熟悉的炒面或炒饭。

在尼泊尔吃饭有一个铁律，永远不要等到肚子饿了再去餐馆找吃的。尼泊尔人做事喜欢慢慢地、优雅着来，等客人点完菜之后，厨子才会去准备需要的食材，然后切菜、加工，幸运的话半个小时后客人会吃到所点的第一道菜。后来有一次我去一家以Momo（一种从西藏传过去的饺子）著称的餐馆，点了一份Momo后，店家这才进厨房里和面、擀面、包饺子，再烧火蒸熟，一个多小时后Momo上来时，我早就饿得趴在桌子上。

过了两天我吃腻了炒面和炒饭，心想既然店家也不急，我大可慢慢地点。于是我肚子还没饿就去到餐馆，跟伙计先讨一份菜单，坐下来后掏出我的电子词典，对着菜单一个词一个词查下去，选出喜欢吃的，再喊伙计过来点。又过了几天，在我查遍许多家餐馆的菜单后，就不会再为点餐这件事烦恼了。早上到餐馆里一坐，点一份带果酱（jam）或蜂蜜（honey）的吐司和一个煎蛋（omelet），要上一杯无糖的红茶，午餐晚餐可以选择蒸饺（Momo）、藏式汤面（Tukpa）、或者空心粉（Makkaroni）、牛排（steak）之类的，再要一杯印度酸奶饮料Lassi，晚上八点之后去面包房买打五折的面包，还可以给自己省下钱。舒适优雅的旅行日子从此开始。

当我发现开口说英语并不是件太难的事后，就开始乐此不疲地用不咸不淡的英语去跟其他背包客“勾搭”。约旅馆隔壁房间的俄罗斯人一起吃饭，在顶楼的露台上和大伙谈天说地，去旅行代理那打听去珠峰徒步的机票和去印度的班车，帮遇到的中国游客跟旅行社谈路线安排，罢工的时候满街找车去机场接菜菜……

三周后，当菜菜来到加德满都，我已经在这里混得如鱼得水了。

不过，菜菜是追求精益求精的人，有一次我们去餐馆吃饭，我对服务员喊了声“Hello”把他叫过来，然后直接跟他说“Give me a ××”。

服务员一转身，菜菜便大惊失色：“怎么可以这样讲话？”

“怎么了？”我不解。

菜菜开始对我循循善诱：“你英语是进步很快，但说话太没礼貌了，来来来我来教你点礼貌用语，比如要人帮忙，你应该先说‘Excuse me，can you do me a favor’，明白了吗？”

于是我就跟菜菜学起了礼貌用语，但不多久后我发现，这个在跟老外聊天的时候管用，到了找当地人谈事情的时候就坏事了！我原来跟当地人直截了当地说话，再配上一点手势，大家交流颇为通畅，因为很多当地人的英语也说得不好；现在讲得彬彬有礼，在对方还没理解正题之前，就已经被“Excuse me，can you do me a favor”这些客套话绕晕了。

于是我总结了，在和英语水平也不高的当地人谈事情时，用微笑来表达我们的善意就足够了，讲话尽量直截了当，再配合上一些手势，这样会更高效。

事实证明，在亚洲旅行，我的实用英语，有时候真的能胜过菜菜的地道英语。

从陆路去印度时，在尼印边境我们遇到一个中国姑娘，便约好一起通关。没想到在尼泊尔海关，这个姑娘被查出签证时效已经过了三天，属于逾期居留，姑娘心一慌，不知道要怎么处理，就和海关争论起来。

我和菜菜办好过关的手续在旁边坐了一会儿，看她争了半天还没争出个所以然，我就说：“那我过去看看啦。”

我看菜菜的眼神明明是“你过去不要帮倒忙哦”的意思。

不过我很快就搞清了状况，原来海关要罚款，而姑娘怕签证上会留下不良记录，想请求海关不要在上面做这种标记，只是她说了很久，对方就是不明白。

我问海关要交多少罚款，然后再拿起姑娘的护照问：“我们给钱，别在这里留下任何东西好吗？”边说边指着签证。

“OK，OK，只有离境章。”那边回答很干脆。

“不要贴上任何其他东西？”我在桌上拿个小便戳，比划一个要贴在护照上的姿势，再问了一次。

“没有其他东西。”

“我们拿这个护照再来尼泊尔没问题吧？”

“没问题。”

“去别的国家也没影响？”

“都说了没问题的！”海关开始不耐烦了。

于是我让那姑娘把护照交给海关，交上罚款，填个单子，盖上离境章就完事了。

后来我们知道了这个姑娘是在英国念完MBA回来的，只是刚才她的标准英语在这里遇到尼泊尔的大舌头英语，一时半会说不清，最后还是靠我这种在路上混出来的实用英语解决了问题。

后来我们一同进入嘈杂无序的印度境内，菜菜和那个姑娘找了一个干净点的路边看行李，我一个人到街上去打听去最近的一个城市戈勒克布尔的公交车。到了戈勒克布尔，我帮那姑娘问好去佛祖圆寂之地拘尸那迦的公交车，再和菜菜一起转火车去恒河圣城瓦拉纳西。

从印度开始，我们旅行路上的食宿交通等，都可以全部由我打点，“拖油瓶”从此翻身了。

特别致谢：说到我的英语学习生涯，最需要感谢的是在安纳普尔纳山区徒步时认识的朋友——来自法国的Cyrilk和他的意大利妻子Eva。他们努力地辨认我夹杂着手语、错误百出的英文，还主动地跟我聊一些简单的话题，教会了我很多的单词。我们在徒步中七天结伴，他们一直耐心听我说话，帮我纠正错误。

他们教会我的东西，学校里永远学不到。

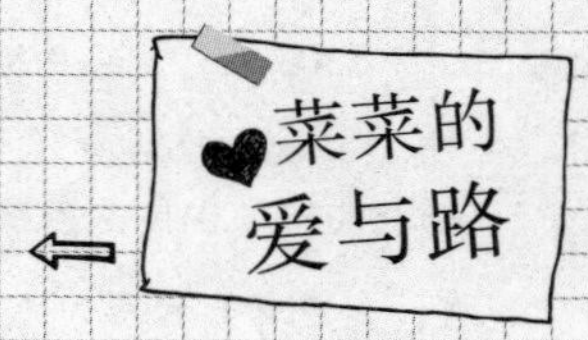

“我要一直等到南迦巴瓦出来为止。”

这句台词，在我和谢谢的记忆里发生了错乱。谢谢说，这句话是他说的，当时他话音刚落，我就跟打了鸡血似的，从睡袋里钻了出来。

可我明明记得这句话是我说的啊！

不管怎么说，这就是我们在南迦巴瓦峰下的直白村里，见的第一面，说的第一句话。

我们刚认识的时候，谢谢还是一只菜鸟。他连签证和护照有什么区别都不知道，英语一句也说不出口。

但是这只菜鸟很有咬定青山不放松的精神，最突出的表现就是，他决定追我的时候，就跑来上海住在我家里。我虽然天天也都说“你这个人脸皮真厚啊”，但也不好意思赶他走。

后来，我们就一起旅行了。

其实在和谢谢一起之前，我一个人去过东南亚的很多国家，但我们一起出国的第一站，还是从东南亚的老挝开始的。

到现在我仍然固执地认为，如果你爱一个人，就要和他一起去琅勃拉邦，因为那个小城美得宛如梦幻。我们在普西山上看到了全世界最美的日落，还许愿一起去看爱琴海。

一个人的旅程自由但寂寞，也许那种寂寞就是过去的我所寻求的，但现在，我更喜欢和所爱的人在一起，并肩看着这个寂寞的世界。

和谢谢认识三个月以后，我们回到了南迦巴瓦峰脚下。

这一次，那座被《中国国家地理》誉为“最美山峰”的神山，终于拨开云雾，向我们展露了真容。

那天正是我们相识的第一百天。

遭逢真正美的事物，那种感动无法用语言描述。借住那一家的藏民妈妈给我们送上了哈达，她对谢谢说，我们的姻缘受到了神山的庇佑。

神山会保佑我和谢谢一辈子相伴走下去么？

我知道，这个问题不会有回答。

但至少现在，我知道我是幸运的，有心爱的人陪我一起寻梦。

——莱莱

第二章

Take a rest with Everest

当我们一同走过生死之界，站在闪耀光芒的雪山顶上，忽然发现，

再没有比拥抱更温暖的事。

| 尼泊尔 | Kala Pattar峰 | 菜菜差点挂在了山上 |

⋆ 我先一个人走走

面朝雪山，春暖花开，这样的生活在尼泊尔只是寻常。

上大学的时候，我曾和同学们去皖南的徽杭古道徒步两天，并在山里露营。那些翻山越岭、扎营做饭、烤火对歌的时光，大家至今未忘。工作之后，我乘一次假期的机会，去了云南梅里雪山，徒步到了雪山下的雨崩村。这算是我去尼泊尔之前仅有的两次徒步经历。

而尼泊尔，则是名副其实的“徒步者天堂”。

在这个喜马拉雅南麓的小国里，汇集了世界上十座最高山峰中的八座。尼泊尔政府的开发策略与我们不同，雪山脚下几乎都不通公路，要亲近这些神圣的雪山，只有通过遍布其间的超过七十条的山区徒步路线。雪山下没有旅游巴士带来的一批批到此一游拍照留念的观光客和兜售旅游纪念品的小贩，就更显得纯洁美丽了。

在这些徒步路线中，最著名的是珠峰大本营徒步路线（EBC）、安纳普尔纳峰大本营徒步路线（ABC）、安纳普尔纳峰大环线、布恩山小环线。可以说，体验一次喜马拉雅山区的徒步，是去尼泊尔旅行最棒的一件事情。

我和菜菜计划在尼泊尔徒步其中平均海拔最高的一条路线——珠峰大本营路线（EBC）。在菜菜还没有来到尼泊尔之前，我已经按捺不住，想早点亲近雪山，于是选取了另外一条路线自己先走。

这是一条位于安纳普尔纳峰山区，难度较低的非主流路线——Jomsom路线。Jomsom是喜马拉雅山脉北坡的一个小镇，从喜马拉雅山脉南坡的博卡拉到Jomsom需要徒步七天。

我在博卡拉住的旅馆的主人叫朱迪，是位澳大利亚老妇人，二十年前她第一次来安纳普尔纳山区徒步时，就爱上了这片土地，之后每年她都要从澳大利亚到尼泊尔来徒步。数年后，朱迪索性把家搬到了这里，在这座费瓦湖边的小城里开了一间小旅馆。

如今朱迪虽然已经六十多岁，身体却依然健硕，每年还要到山区里徒步数次。有一天我在旅馆里为是否需要雇一个向导和我一起进山的事纠结，就跑去请教朱迪："朱迪，我准备一个人徒步去Jomsom，雇向导太贵了，你觉得我一个人去可以吗？"我指着安纳普尔纳山区地图，比划着和她说。

"没问题，这是一条很多人走过的路线，道路清晰。"朱迪轻描淡写地回答我。

"山上有些地方这边一条路，那边一条路，我该怎么办？"我不懂"岔道"用英文该怎么说，就用手往左边划一道，右边再划一道。

“你站在那别动，等有其他的徒步者来到，跟着他们走。”

“现在是雨季，听说徒步的人不多？”我还是不放心。

“那你就看地上，这条路上平日有很多驴子运货，你看哪条路上的驴粪多，走那条路就对了。在山上，驴粪是最好的向导。不用担心，年轻人，这两天我有事，不然我这个老太婆就和你一起去。”朱迪显然看不起我的胆怯。

去就去，谁怕谁？士可杀不可辱，我可不想被一个老太太鄙视。

第二天大清早，我就背起包进山去。

从博卡拉到Jomsom的路线可以分为两段，首先是从海拔800米的博卡拉的山脚下翻越海拔3400米的布恩山（Poon Hill），再下探到卡利甘达基河边海拔1200米的Tatopani村。

这段路需要走三天，两天上山，一天下山。

刚开始上山时偶有岔道，朱迪的“驴屎”办法在这里果然派上了用场。再往上的地方，我逐渐遇到其他的徒步者，最后和法国的Cyrilk夫妇结伴而行。在山间和老外朝夕相处，我的英语水平也大有长进，这成了徒步中一个意外的收获。

上山的第一个晚上，我住在布恩山下的玛迦人村子，日出时分爬上布恩山顶，一览众山小。前方喜马拉雅群山一字排开，世界第七高峰道拉吉里峰与第十高峰安纳普尔纳峰巍峨入云，在晨光下异常冷峻，不怒自威，自然的伟大与人的渺小在此显现无遗，令人敬畏之心油然而生。

玛迦人可不是一个简单的民族，在尼泊尔，他们以骁勇善战著称。在号称“弯刀出鞘，必须见血”的世界四大雇佣军团之一的廓尔喀军团中，就以玛迦人最多。

马迦人的善战，在尼泊尔的历史中留下了不少光辉的篇章。

古时尼泊尔的国名是廓尔喀，廓尔喀主要的两个民族就是玛迦族和古荣族。殖民时代，英军入侵尼泊尔，企图剿灭廓尔喀人，结果他们两千四百人的混编部队被廓尔喀的一百二十名勇士打得丢盔弃甲。后来，廓尔喀人反过来入侵英国统治下的克什米尔，英军以三万之众配更先进的武器，对付一万两千廓尔喀战士，苦战两年，损失惨重，才取得最后的胜利。

廓尔喀人的骁勇得到英军的尊重，甚至在双方的战争未结束前，英军就为一些廓尔喀战士设立了纪念碑。

战争结束后，英国政府改变了策略，保证尼泊尔国家的独立，并招募廓尔喀雇佣军。从此，廓尔喀军团成为英军里的最精锐部队。在前几年的阿富汗战争中，英国派往战场保护哈里王子的，依然是一支骁勇的廓尔喀军团。

至今，尼泊尔人仍为能在周围国家纷纷被西方攻陷时保持独立而自豪。

后来我们在徒步EBC时问我们的向导Ajay，廓尔喀军团的招幕标准是什么。

Ajay耸耸肩说：“第一项基本测试就是把衣服脱得只剩下内裤，背着用竹篮子装的五十斤石头，四十八分钟内在喜马拉雅山山区里完成五公里登山跑。”

告别勇敢的玛迦人，与要返回博卡拉的Cyrilk夫妇分别后，我一个人走到布恩山下的Tatopani村，从这里到Jomsom，还需要沿着卡利甘达基河谷徒步三到四天。

卡利甘达基河谷是世界最深的河谷，世界第十高峰安纳普尔纳峰和第七高峰道拉吉里峰矗立在两边，两座海拔8000多米的山峰之间相距只有38公里，而两山之间的河谷海拔还不到2200米。得天独厚的地理优势使卡利甘达基河谷成为打通喜马拉雅天堑、连接尼泊尔与西藏的通道。

临水为渔，近路为商，居住在卡利甘达基河谷的塔克利族人自古就掌控着南亚与西藏间的贸易，成为尼泊尔最著名的商业民族，在加德满都、博卡拉都有很多塔克利人经营的旅馆、餐馆和其他公司。

从Totopani继续徒步两天后，我投宿在一个叫Khobang的塔克利人村庄。

Khobang村是离世界第七高峰道拉吉里峰最近的一个村子，就在山脚下。第二天清晨，我在村子前面的卡利甘达基河床上拍到了完美的日照金山道拉吉里峰。拍完照片回到旅馆时，投宿的店主一家已经和邻居们在门口喝起奶茶，扯起家常，村里的狗狗们也在早晨暖意融融的太阳嬉戏着。

“面朝雪山，春暖花开”这种梦想般的日子，在这里只是再平常不过的生活。

这种安宁的生活总让我这个匆匆过客感动，于是我在雪山下和这一家亲切的塔克利人拍下合影，用照片收藏起这份幸福。

收拾好行李后马上又要上路，再过一天，我就将到达这次徒步的终点——喜马拉雅北坡的Jomsom。塔克利人一家把我送到村口，叮嘱我路上一个人要小心，这才依依惜别。

两天后，我从Jomsom乘坐山区小飞机回到博卡拉，从喜马拉雅南坡到北坡徒步需要一周，但小飞机三十分钟就走完了回程的路。

这一次的徒步算是一次热身，我更加期待与菜菜一起，体验那段最为壮美的珠峰大本营路线。

★尼泊尔全国罢工，菜菜来了

如果你这时来到加德满都，一定会怀疑飞机降错了机场。

我在Jomsom徒步的这一个星期里，尼泊尔的政局发生了一些变化。

从Jomsom回博卡拉那天是4月27号，朱迪神情严肃地告诉我：“谢，你如果要回加德满都等你女朋友，最好这两天快点走，毛党要在5月1日开始发动全国大罢工，到时你就回不去了。”

当天我去了费瓦湖边的一家中国餐馆吃饭，华侨老板也告诉了我同样的消息。

于是，第二天我抓紧去看了博卡拉最美的鱼尾峰，然后匆匆赶回加德满都。此时路上已经多了很多军队的检查站，两百多公路的路程走了十个小时。

第二天是4月30号，罢工的前一天，我的签证将要到期，赶紧去外交部的签证部门办理延期。离开游客聚集的泰米尔区，在前往签证办公室的路上已经有很多毛党的支持者在游行，就连杜巴广场的库玛丽女神庙前面也聚集了示威的人群。

街上到处弥漫着一股不安的氛围，每到一个地方，大家谈论的都是关于罢工的事。据说，毛党会在全国各地的农村召集数十万人进入首都开展游行！这可是一个了不得的数字。作为一个从小混大的捣蛋分子，我对接下来的几天虽然有些担忧，但居然还有种暗暗的期待。

“哐哐哐、哐哐哐……”“××××！Zindabad，Zindabad！！！”

5月1号一早，一阵敲锣打鼓跟高喊口号的声音把我从睡梦中吵醒。

一定是毛党来了！我一下从床上跳起来。

头天毛党在杜巴广场上有一个小型的集会，也是在不断地高喊“××××！Zindabad，Zindabad！”。我对他们反复高喊的“Zindabad”这个词印象深刻，那时我不知道是什么意思。直到半年后我走到印度、巴基斯坦边境，在边境降旗时听到两国国民如斗鸡般互相高喊“Hindustan Zindabad！（印度斯坦万岁）”和“Pakistan Zindabad！（巴基斯坦万岁）”才了解到，“Zindabad”在南亚多国语言中，是“万岁”的意思。

我冲到阳台往楼下看，无数毛党的支持者头上扎着红色头巾，手里或持着棍棒，或举着镰刀锄头图案的红旗，高喊着“万岁、万岁”从街上列队走过，队伍从东到西，望不到头。那一片红色和一阵阵的口号喊得我热血沸腾起来，赶紧洗漱一下，冲到楼下看热闹去！

街上围观的群众不多，想来大多数人还是躲在家里，避避风头。我拿起相机冲上去拍摄——一点害怕的感觉都没有，我一直觉得自己很有做纪实摄影师或战地记者的潜力，哈哈！

毛党的罢工游行组织得还挺有秩序，我想应该是平时练过。街道两旁是一排手执棍棒的年轻人，负责保持队形，防止队伍被冲散。中间的男女老少举着红旗，高喊口号，不时队伍中还会出现一群手牵手的人，绕城一圈，边走边唱歌跳舞。

我知道南亚人喜欢歌舞，但这游行示威又不是过节，难道也要有“文工团”来表演吗？

“哎……严肃点，严肃点，现在是游行！”要是我懂尼泊尔语，我一定冲上去朝他们这样喊。

队伍中间偶尔还会夹杂着一辆缓慢开行的皮卡车，车上装一个大喇叭，用来带领人群高喊口号。有一辆皮卡车的车厢后面还坐了一个拿着相机的老外，不知道是不是记者，看到我也在拍摄，我们互相挥了挥手致意。后来，我又遇到一位CNN的摄影师，他正忙着把最新拍摄的罢工录像传回CNN。

游行的队伍很长，在旁围观的人边看边议论：“听说毛党召集了四十万人来加德满都，你看这架势，就像谁不参与罢工就砸了谁的店似的。”“可不是吗，汽车都不给上路，早上有个骑摩托车的给毛党的人拽了下来，车胎戳爆，啧啧……”

大半个小时后这个游行队伍才走完，我照例到泰米尔区想吃个早餐，但平日里熙熙攘攘的泰米尔街区此时竟变得冷冷清清，超市、餐馆、书店、食品店……没有一家开门。

因为局势动荡，多数人都躲在家里，街上没几个人走动，胆大的年轻人索性拿出球拍，在街上打起了板球。

离开泰米尔区，平日里堵满塔塔牌货车、巴士和报废小车的街道上，一辆车都没有，宽阔点的路段，一队队毛党的游行队伍坐在路边集会。在众人围着的中间，各个党支部里的有才哥们正唱歌跳舞，展示着他们的才艺。

远离毛党聚会的街道，也只有三三两两的年轻人在街上打板球。要是一个曾来过加德满都的人，这会下飞机进入市区，一定会问：“这是加德满都吗？飞机不会降错机场了吧？”

菜菜是5月2日深夜到加德满都机场的。

为了能按时接到菜菜，我头一天就到机场巴士停靠的地方询问第二天去机场的交通情况。结果，我被告知现在全加德满都的日常交通全部中断，毛党只允许一辆机场巴士往来于机场和泰米尔区之间。

毕竟旅游业几乎是尼泊尔经济的全部，罢工不能针对游客，影响经济建设。

停靠在路边的机场巴士，车头上挂着一条横幅，上面写着“Airport Only”，车头的位置坐着几个荷枪实弹的军警，巴士周围挤满了焦急等着去机场离开尼泊尔的游客。但平日里送游客往返机场的主要是出租车，此时巴士的运力明显无法让所有人都挤得上去。

5月2日罢工形势愈演愈烈，在加都街头，随便转过一个街角，就能看见迎面而来一队黑压压的毛党，我确信自己那天看到了超过十万的毛党。中午12点多，我早早到了机场巴士站，期望能顺利坐上当晚的巴士，但巴士还是被里三圈、外三圈的人群围着，我连门都摸不到。

幸运的是，那天我遇到了两位住在某五星级酒店的中国游客，正巧他们乘坐当晚的航班回国，机场巴士会优先到五星级酒店去接客人，我就跟着去了他们的酒店。

傍晚在酒店大院里等车时，我看见三辆由军队护送的轿车，陆续呼啸着开进来。他们进入酒店后，荷枪实弹的军人便守住了酒店的每个入口。问过才知，原来这三辆车里坐着的就是尼泊尔执政两党和毛党的领袖，一连数晚，他们都在这个酒店开会。在他们达成协议之前，罢工会一直持续下去，这个国家的各行各业，也会一直瘫痪下去。

终于上了机场巴士，车上乘客挤得像沙丁鱼一样。平日里打车去机场也就300卢比左右，今天挤得上巴士的乘客，都要一人交200卢比，真是罢工也不忘赚游客的钱。

当晚去机场的巴士挤满了人，但回来的巴士却有很多空位，这种时候，还有谁会来这里呀！

把菜菜从机场接回泰米尔区时，已快凌晨1点，半夜的泰米尔街头，只有无家可归的流浪少年和流浪狗。

5月3日，我们旅馆的餐厅贴出通告：因为罢工，本餐厅买不到食物，暂时停业。

好在旅馆的伙计告诉我们一个好消息，为了保护在尼泊尔的游客，政府和毛党达成协议，允许泰米尔区的餐馆、商店每天晚上6点到8点开业两个小时。

在这样的条件下，我们必须规划好在这两个小时内要做的事情，争分夺秒地筹备去EBC徒步的物资。白天，我们在旅馆里计划徒步的日程计划，想好哪些东西是一定要买的。

“我们明天需要先去办理进山证，晚上先去超市买十个士力架，十袋奶茶，两包果珍，还有这两天的淡水和面包，7点的时候我们去找裁缝，把你这条裤子破掉的口袋补一补，再买两双厚点的袜子，晚上回旅馆后和Raj谈去卢卡拉的机票……”菜菜一边说，一边将这些事情记在了她的本子上。

到了接近晚上6点的时候，我们和其他游客一起守在超市门口，超市一开门，我们就挤进去抢到水、面包跟其他食物饮料，再去熟悉的餐馆吃饭。

去过尼泊尔的人都知道他们餐馆的速度，7点半点了菜，到8点可能还没切好菜，更别说吃饭了。餐馆老板把门拉下来，等里面有顾客吃完了，就让小孩出去看看有没有毛党，没有了，才放人出去，吃完一个放一个。

隔天去办理登山证的地方离泰米尔区比较远，要穿过加德满都市中心的一个大广场，平日里这是市民活动的场所，现在变成了毛党的后勤中心。广场上搭起了一排简单的土灶，架起了一排直径超过一米的大铁锅。

从四面八方进入加德满都的毛党们，白天出去游行，饿了来吃大锅饭，晚上在广场上、公园里杂乱地搭起帐篷，或直接露天铺好床铺睡觉。从广场边上行，有一个路口，毛党在那搭起了一个高台，台上一名疑似毛党领导人正神情激昂地发表演讲，台下狂热的支持者们把整个路段挤得水泄不通，高喊“万岁”的声音震耳欲聋。

也许尼泊尔的毛党也相信全世界无产阶级都是兄弟，他们禁止餐馆营业，却允许小贩在他们集会的附近摆卖路边摊，吃腻了大锅饭的毛党们，口号喊累了就到路边摊上来瓶饮料，吃一碟蒸饺。

当然，他们都是付了钱的，党一定教导过他们“不白吃群众一个蒸饺，不白喝群众一瓶可乐”。

就这样过了三天，我和菜菜在罢工中准备好了去珠峰大本营徒步的东西。

5月6日天还没亮，我俩悄悄地花高价找了一辆偷活干的出租车，趁毛党们还在睡梦中，偷偷摸摸来到加德满都机场，飞往珠峰大本营徒步的起点卢卡拉，开始十一天的徒步。

徒步的第九天，我们在下山途中，经过能收到电视信号的南池市场时，看到罢工结束的新闻，但画面中还有大批群众聚集在杜巴广场前高喊口号。我很奇怪地问向导Ajay：“罢工不是已经结束了吗？怎么还有人在集会？”

“他们是加德满都的市民，毛党罢工让他们不能正常生活，没有收入，现在毛党走了，他们在集会庆祝。”

“Ajay，你和你的朋友们支持哪个政党，现在的执政党还是毛党？”

“他们都一样，只会给自己捞钱，从来不会考虑尼泊尔人民，尼泊尔每年那么多游客来，还有很多国际援助，但尼泊尔人还是很贫穷，连条路都修不好。”

再过两天回到加德满都，罢工结束后的泰米尔区，依旧歌舞升平、纸醉金迷，观光的游客一批批地来，一批批地走，尼泊尔人的生活依旧。

⋆ Have breakfast with Everest

花一点点钱，和珠峰一起吃早餐。

从加德满都去珠峰大本营徒步的起点卢卡拉是没有公路交通的，徒步者如果不乘坐飞机，就得从加德满都坐半天当地巴士到一个叫吉里的山区小镇，然后从吉里出发，翻山越岭徒步五天到达卢卡拉。

卢卡拉所在的地区，是尼泊尔著名的登山民族夏尔巴人的故乡索鲁昆布，这个民族至今保留着最快登顶珠穆朗玛峰等一系列登山纪录，神人辈出。

因为索鲁昆布地区的交通闭塞，世界上第一个登顶珠峰的埃蒙德·希拉里爵士在卢卡拉修建了一个机场，作为进出索鲁昆布地区的门户。卢卡拉机场地形险要，被称为全世界最危险的机场之一。机场跑道只有四百米长，而且是倾斜的，一端是山坡，另一端是悬崖，起降的是十五座的老式螺旋桨飞机，起飞时跑道的斜坡帮助加速，降落时跑道的斜坡帮助减速，只能在气流稳定的清晨起降飞机，遇到气流不稳定飞机无法准确着陆时，就只有祈祷佛祖保佑了，因此卢卡拉机场的坠机事故特别多。

让人悲伤的是，长期在索鲁昆布地区为夏尔巴人修建医院、学校等公益设施的希拉里爵士的夫人和女儿，就是在来探亲时，飞机失事身亡。

后来，在一队西方登山队的资助下，这个机场的沙土跑道才改建成现在的水泥跑道。

EBC路线的标准徒步时间是十二天。因为要在山里停留很长的时日，我们想雇佣一名向导，沿路可以帮忙安排食宿、指引道路，也可以帮忙在爬山的时候分担一些行李负重。

那天我们在加德满都的旅馆跟店主Raj谈去卢卡拉的机票时，就请他帮我们找一位向导。

“伙计，你们很幸运，我的朋友Ajay正在卢卡拉，他刚带完上一队徒步者，他们帮Ajay买好了回来加德满都的机票，你们不需要再出这笔钱。他非常专业，就让他做你们的向导吧。”Raj说。

我们当然求之不得。

第二天清晨我们到达卢卡拉机场时，好不容易挤出拉活的人群，转到外面东张西望找Ajay。

来之前Raj交待：“这个时候去卢卡拉徒步的人不多，中国人更少，你们出机场，Ajay会很容易找到你们的。”

不一会儿，果然有一位戴着墨镜、围蓝色头巾的小伙子向我们走来：“你好，请问你是谢吗？”

“是的。”我想这就是Ajay了。

“欢迎来到卢卡拉，我是Ajay，Raj的朋友。”Ajay彬彬有礼地自我介绍，“请随我回旅馆收拾一下东西，然后我们就可以出发了。”

徒步的第一段是从卢卡拉走两天到达海拔3500米的南池市场，第三天在南池市场周边做一个短途的环线徒步，初步适应高原。

第一段的徒步海拔不高，难度不大，一路还有村舍田园、青山绿水相伴。我们的向导Ajay是个活跃的人，大家一路有说有笑，心情十分愉悦。走出卢卡拉镇，没多久我们来到一条河边，这条河的水是乳白色的，我们觉得很奇怪，就问Ajay这是为什么。

“这条河的水来自圣母峰，在夏尔巴人的传说中，圣母峰的顶上有一头神圣的牦牛，这条河里的水是牦牛的乳汁，你们相信吗？”Ajay所说的圣母峰，是西方人对珠穆朗玛峰的称呼。

“相信。”我们想尊重当地的文化，虚伪地回答。

“哈哈，那只是传说，圣母峰顶上怎么可能有牦牛呢，我可不相信。”Ajay哈哈大笑，我们被他捉弄了。

此时是五月上旬，即将进入雨季，路上徒步的人不算多，更多的是往来山上各村庄间运输物资的背夫。行走在山间，不管是游客还是当地的背夫，大家见面擦肩而过，都会微笑着互相道一声“namaste”，在荒山中的这一声声问候，让人倍感温暖。

南池市场是山上的夏尔巴人购买物资的主要市集，我们徒步的第二阶段便是从这里开始。过了这里，海拔逐渐升高，雪山也开始逐渐密集，道路两边的树木也逐渐消失，再走两天，就将进入寸草不生的高寒地带。

在来EBC之前，我在网络上查询过一些关于这条路线的资料。因为时间长（标准时间是十二天），海拔高（多数路程在海拔4000米以上，最高处达到5545米），容易发高山病，这条路线是被归为“高难度”级别的。甚至在一些徒步者的网络约伴帖里，要求参与者需有海拔4000米以上高原数天的徒步经验，还能在一小时内跑完十公里。

这些资料让我们这两个没什么徒步经验的菜鸟胆怯起来，但追求美景的心理最终还是压过了恐惧。

“别担心，其他有经验的人走十二天，我们慢慢走，走十四天，再大不了走十八天也行，反正我们有时间。要是走不完，我们走一半也好，反正不要勉强。”菜菜安慰地说。

走在路上才发现，EBC路线虽然海拔比较高，徒步设施却也是和Jomsom线一样齐全，沿途有许多夏尔巴人的村庄，每走一两个小时，就有村民开设的茶屋可以休息。但这里的雪山风光比Jomsom线的壮观许多，徒步三四天后，我们每天就在360度环绕的雪山之中走过世界之巅珠穆朗玛峰、第四高峰洛子峰、被称为喜马拉雅山脉中最美雪山的Ama Dablum、努子峰、章子峰……在这里，你根本无法数清雪山的数量，许多美丽的雪山在这万山群中连名字都没有，只能被贴上“第X号山峰”的标签。

每次，当我和菜菜走得气喘吁吁来到一个茶屋时，背行李走在前面的Ajay早已气定神闲坐在茶屋的小院子里，朝我们招手：“伙计，过来坐会。”在小院子里坐下，Ajay给我们点上一杯茶端上来。

他笑嘻嘻地说：“Take a rest with Everest，感觉怎么样？”

在这次之前，其实菜菜有过一次ABC的徒步经历，据她自己回忆，是哭着被人拖上山的。所以这一次，为了避免悲剧重演，她在安排生活上充分显示出“大管家”的作风，打点一切不遗余力。

前几天，菜菜在从国内飞到加德满都的时候，带了两袋肉枣，还有一些蜂蜜、咖啡，我们还在加德满都采购了奶茶、果珍。山上吃的东西贵，主要的食物炒面、炒饭和尼泊尔餐Dal Bhat，在EBC路线上的一些高海拔地区，价格比在加德满都贵五倍以上。

在山里经过一天徒步之后，一份炒面炒饭是吃不饱的，最好的、也是相对廉价的食物是尼泊尔餐Dal Bhat。素的Dal Bhat会有青菜、土豆咖喱、腌萝卜干、辣椒酱和一碗豆汤，饭菜可以无限次添加直到吃饱。

于是每天晚上，我点上一份素Dal Bhat，吃完一份再添一份，菜菜点一个便宜的煎蛋或炒面，蹭一点我的饭，再一人一颗肉枣，就这样解决吃饭问题。山上不能洗澡，热水也很贵，一瓶要三五百卢比，我们白天就用水壶接山水，再放入净化药片，药片溶解后倒入果珍，就成了补充维生素的果汁。

走了一天，到晚上身体会很疲惫，我们会买一瓶热水，半瓶用来洗脸擦身，1/4瓶用来泡两杯奶茶或咖啡。有了饮品的晚餐，即使是在旅馆餐厅昏黄的节能灯下，也显得很有格调，既美味又能补充热量。

清晨起来，菜菜用剩下的仅有余温的1/4瓶热水泡好一杯蜂蜜，给我喝完后再泡上两杯奶茶或咖啡，舀两大勺旅馆免费的白糖倒进杯子，要一个煎蛋和两片不带果酱的土司，配上两颗肉枣。在四周雪山的注视下，这就是我们一份阳光明媚的营养早餐，菜菜把它称为：Have breakfast with Everest.

也许是因为心态好，我们一直走得不疾不徐，路上休息得也很好。在菜菜的打点下，虽然我们钱花得少，但吃得营养充足，加上壮观的雪山风景，这一路，菜菜形容是一次“度假般的徒步”。

最后，我们只用了八天就走到珠峰大本营EBC，准备次日登顶此行的最高点，5545米的Kala Patthar峰。

★ 和死神并肩看了场日出

走过去，活下来，回头看，山河绵绣。

虽然一路走来都很顺利，但，永远不要低估了高原。

为了精简接下来旅程的行囊，我和菜菜到EBC以后，并没有像其他徒步者一样大肆采购装备。菜菜没有冲锋衣，我没有羽绒服；我脚蹬一双穿了两年、鞋底破洞的国产篮球鞋，睡袋是小小的夏天睡袋；我们的登山杖是十几块钱一根的，到山上觉得衣服不够才到南池市场各买了一条保暖裤。至于登山鞋、低温睡袋，这些东西我们想都没想过——我们的装备是这么的不专业。

上山的路上，每天清晨和黄昏，我们总看到很多直升飞机飞上飞下。因为还是登顶珠峰的旺季，我以为是这些飞机是送专业登山队员上去的，问Ajay他却说："这是运送病人的，这里不通公路，徒步的人在山上患了高山病，只能用卫星电话联系直升机运下去急救，病重运送不及的，就会死去。"

一路上我们觉得路途并不困难，也只是把这些救命的直升机当成拍摄雪山时一道另类的风景线。走到海拔4400米的Dingboche村时，旅馆的人说这两天有一个妇女在这里高山病发作，被直升机送了下去。在海拔4900米的Luboche村，傍晚和Ajay和其他一些向导在旅馆门口休息时，有一个向导说前两天有个德国人在这里晚上高山病发作，第二天一早被直升机送下去，听说没救过来。之后我们看到这些直升机，心中开始有了一丝的恐惧。

从EBC到达海拔5100多米的Gorak Shep当晚，我们正在火炉边烤火取暖，Ajay坐过来，脸色阴沉地说："一周前，我的一个朋友在这里忘记起床了。"

"啊？"我开始并没有听明白。

"我的朋友，另一个向导，一周前住在这里，第二天他忘记起床了。"Ajay耸了耸肩，叹了一口气，压低声音又说了一次。

我们一下明白了他说的是什么意思，我看得出他心里很难过，想说两句安慰的话，却不知道如何开口。

"你知道，这个地方很高，有时候我们做向导的……这就是命运。"Ajay模模糊糊说完几句，又回到他们那群尼泊尔的向导、背夫圈子里。在路上，不管Ajay和我们多么有说有笑，到旅馆吃饭的时候，他总是在我们吃完后，去找其他的向导和背夫，大家聚集在一个角落，或者去另一个房间。虽然他平时表现得像是一个摈弃印度教传统的年轻人，但在这时候，他却依然无法摆脱种姓分级和职业分工的思想，而印度教相信因果轮回的思想在他心里也是根深蒂固。

也许有轮回、来生的信仰，会让他们在面对生死时，更加的坦然。

第二天我们要登顶Kala Patthar，这是Gorak Shep边上的一座山峰，也是这里最棒的一个观景高地。从Gorak Shep到Kala Patthar，海拔从5100多米上升到5545米，我们在路上一直比其他人走得慢，但这次，为了能早点登顶看到日出，我们决定凌晨4点钟出发。

出发时，这个索鲁昆布冰川边小村的气温，已经让旅馆的窗户上结上了一层冰。菜菜怕冷，把所有厚衣服穿在身上，再把睡袋裹上，戴上棉帽和手套。我把热水瓶里微温的水倒入水杯，打起头灯，我们和Ajay就这样摸黑出发了。

此时，寒风呼啸，路上一个人都没有，周围世界一片寂静。

上山的路蜿蜒成Z字形，我们闷头不说话地爬了一个多小时后，天边才微微泛出一点白光。回望来时的山谷，依然是一片漆黑。而第一缕阳光已经照在背后珠峰的山顶，再过一会儿，我们前面圆锥形的“少女峰（Pumori）”也将迎来第一缕阳光。

“我们就在这里等日出吧，太阳从珠峰背后出来，我们可以拍摄日出那一瞬间在山体背后发散出来的星光。”我建议，因为此时我们离山顶还有不小的距离。

菜菜点头同意。过了一会儿，一束扇形的阳光从珠峰背后射向天空，紧跟着太阳从山体后面逐渐露出，开始散发出星状的光芒。这种星光持续不到半分钟，太阳就整个从山体背后跳出，阳光洒遍大地。

珠峰的日出壮观而短暂，我们不断地按动快门，一心只想拍下这美丽的瞬间。

我和菜菜在旅行中有个不成文的约定，就是拍照的时候绝对不打扰对方。我们不是那种凡事都要黏在一起的情侣，也许是因为旅途中大多数时候需要的是相互扶持，菜菜很少对我撒娇。有些时候，我甚至会忘记，她其实是一个身高不足一米六的柔弱女孩子。

拍摄大约用了十几分钟，之后我们收拾好器材，准备继续往山顶走。

就在这时，菜菜突然蹲在了地上。

“谢谢，我好冷，走不动了。”

“怎么了？”我一下愣住，伸手去扯她，手还没碰到，菜菜却“哇”的一声哭了起来。

“我好冷，脚没有知觉了，动不了……”

这是怎么回事？我求助地看了一眼Ajay，他忙赶过来，看了菜菜一眼，低声说：“可能是刚才拍照的时候太久没有活动，冻僵了。”

“那怎么办？”

Ajay沉默。

我这才醒悟过来，刚才我们犯了一个致命的错误。日出之前，我们居然在这寒冷的高山口停了下来，没有走动，身体便迅速冷却，再加上呼啸的寒风，菜菜的脚就这样被冻僵了。

我冲过去一把抱住菜菜，尽可能挡住刮来的寒风。此时太阳已经升起，气温却依然很低。而我们没有任何取暖的设施，甚至也没有多余的一件衣服，只能两个人紧抱着取暖。

“谢谢，我的手脚好像断了，没有知觉了……我会不会冻死在这里啊？”菜菜低声地抽泣着。

“没事的，没事的，等太阳升高晒暖了就好了，有我在没事的。”我紧紧搂着菜菜，嘴里安慰着，其实心急如焚。我知道随着太阳升高，菜菜的身体会慢慢暖和起来，但此时最可怕的是，人在低温下身体虚弱，容易诱发高山病。

现在已经快到Kala Patthar顶峰，万一出现了问题，直升飞机也不能在这里降落。万一菜菜真的……我想都不敢想。

水杯里不是还有温水吗？我忽然想起了这点，赶紧叫Ajay取出水杯来救命。谁知道，Ajay拧开了水杯盖却倒不出一滴水来——早晨灌的水，此时已经结成了冰块。

菜菜见状，“哇”的一声又大哭了起来。

“没事的，没事的。”我只好紧紧搂着菜菜，尽量让她觉得暖和点。随着太阳出来，山下其他的徒步者陆续上山，看到我们两人这样，纷纷过来问我们是不是需要帮助。可是这时候，除了祈祷太阳升得快一点，我们没有别的办法。

不知道这样过了多久，上山的人已经陆续从我们身边经过，爬上了顶峰。

“谢谢，我的脚好像有点感觉了，我想试着走几步。”菜菜忽然这么对我说，一边说，一边还在哭。

我赶紧扶着她站了起来，看着她小心翼翼地挪动了一下脚步。

“可以动了？”我大喜若狂地看着菜菜，又不敢确定地问了一句，菜菜点了点头。

“Ajay，过来帮忙，我们下山吧，不上去了。”我招呼Ajay过来帮忙，想一起扶菜菜回到村子里烤火休息。

“不要下去，都走到这里了，继续走吧！我没事。”菜菜一边擦着眼泪，一边说出了这个令我们吃惊的决定。

“还是先下去吧，万一到上面高反就惨了，直升机到不了这里。乖，我们下去吧。”我们不能冒这个险，我不断劝着菜菜。

“走啊，我没事，我自己知道，我们都走到这里了，继续走啊！”菜菜坚持要上去，我了解她的性格，不管什么时候，她都是一个坚强的女生。

于是我把身上背的所有东西交给Ajay，扶着菜菜，两个人艰难地一步步往上爬。对于身体已经虚弱的我们，快到峰顶的这一小段路显得十分漫长，菜菜边走边哭，但我再也没说“一起下去”的话。我知道只有和她一起登上峰顶，才是对她最好的安慰。

刚才的那段时间，回头来看也不过两个小时，但是在我心里却长得好像一辈子。那是我有生以来距离死亡最近的一次，那种要失去爱人的恐惧，我这一生都不愿意再体验。

又走了大半个小时，我们终于到了顶峰。

那天我们是山顶上唯一两个黄皮肤的人。已经到山顶的徒步者和向导用掌声欢迎我们的登顶。他们看到了我们在路上的困难，他们也知道，在这里，困难只能靠自己去战胜。我们战胜了困难，不用语言，掌声就是最好的赞许。

Kala Patthar顶峰经幡招展，从这里向四面展望：珠穆朗玛峰、洛子峰、努子峰、章子峰、Ama Dablum、Pumori、Kangtega、Tangseku以及四周无数雪山，风光壮美，不可言说。我们来时的路已是目不可及。

从卢卡拉出发后的第九天，我们终于站在了Kala Patthar的山顶。

在出发前，菜菜准备了一个记录旅途的笔记本，笔记本的第一页上，菜菜写下：走过去、活下来、回头看、山河锦绣。

此时此刻，我们的心情也只能用这句话来表达。

在Kala Patthar山顶的经幡下，我们在到达过的地球上的最高点留下合影，招展的经幡后面，是在阳光下闪耀光芒的“少女峰”——美丽的Pumori。

下撤到Gorak Shep，我们在火炉边烤了很久的火，菜菜的手脚还是冰凉的。休整了一个多小时，我们马不停蹄地再往下撤。因为害怕当晚出现高山病，我们匆匆忙忙地赶到了海拔4000米的村子过夜，路上没有再拍一张照片。

下山的路上乌云密布，不一会儿还下起了雪，很难再遇到上山的人。索鲁昆布地区的雨季正式来临，要到半年后的下一个徒步季节，这里才会再次热闹起来。

第二天早上起来，菜菜的脚上长起了冻疮。

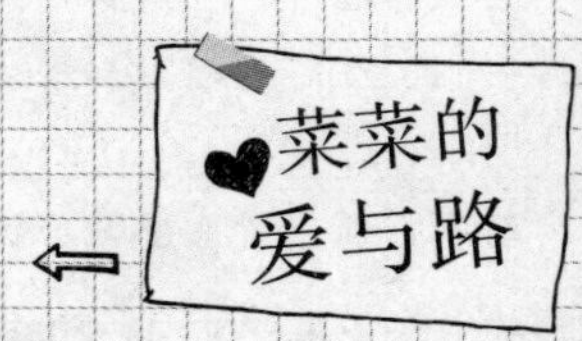

在和谢谢一起旅行之前，我曾经去尼泊尔做过一次徒步。

那一次，我是一把眼泪一把鼻涕被人拖上去的。作为一名起床后不按时吃早餐就会低血糖的女同学，从此我发誓再也不去徒步。但是这一次谢谢先到了尼泊尔，传了EBC线路的照片给我，我再一次被诱惑。

尼泊尔是全世界徒步者的天堂，而EBC就是这天堂里最美的一条登天路。

我到达尼泊尔的时候，恰逢毛党罢工，加德满都全市警戒，我们连滚带爬，在商店有限的营业时间里抢出了十个士力架、十袋奶茶、两包果珍，还有好歹能维持生命的面包和水。

谢谢是一个非常奇怪的男青年，据说毕业以后一直在一家以钱多人傻著称的国企工作，虽然是个小职员，好歹算有个“单位”。但此人似乎从来就不明白“西装革履”四个字是什么意思，头发经常三个月不剪，长年一双人字拖，走出来就是一副营养不良的穷酸样。

所以此人根本就不知道“登山鞋”长什么样，背了一个夏天用的睡袋就上雪山了，脚上穿的是一双磨了破洞的篮球鞋。我甚至怀疑，要不是我以死相逼（纯属YY），他可以穿着人字拖去徒步。

也许是应了“傻人有傻福”这句话，我们这一次的徒步进行得异常顺利，简直就像度假。计划中的最后一天，我们清晨四点起床，从海拔5100多米的Gorak Shep出发，准备去登顶Kala Patthar峰，那是这条线路上最好的观景高地。

一切似乎都很顺利，我们在日出之前，到达了一个离“少女峰（Pumori）”很近的地方。我们架好相机，等待着从雪山背后射出的第一缕星芒——那就好像神话中的情景，明亮盛大，不可方物。

然后，我就这样被冻僵了！

这是我一生中离死亡最近的一次。

低温导致身体虚弱，引发高山病，这个地方援救的直升飞机也无法到达——如果是这样，后果不堪设想。

我们甚至连一件多余的衣服都没有，只能让谢谢抱着我，等待太阳升高，带来一丝救命的温暖。（听上去很浪漫，实际上只顾着害怕了，还觉得这个不会说话的呆子很烦人，如果腿还能动，真想踹他一脚！）

最后，我还是被谢谢拖着，哭哭啼啼地登上了Kala Patthar峰顶。谢谢后来告诉我，当我们终于登顶，其他徒步者为我们鼓掌叫好，那一刻，他很为他牵着的这个不争气的小女人而骄傲。

而我呢，我再次郑重发誓：这辈子再也不去徒步了！

至少在脚上的冻疮长好以前，绝对不去！

——菜菜

第三章

如果你去过印度，总有一天会再回去

我用回忆里的月光，照亮了那一晚的泰姬陵。

与你看到的风景，**尽皆是美丽。**

| 印度 | 金庙的锡克教徒 | 守望与轮回 |

⭑ 圣城瓦拉纳西，我们的旅馆正对着烧尸场

这恒河的夜晚，沦桑而神秘；身在轮回中的印度人，生有何欢，死又何惧。

在离开尼泊尔，到达印度圣城瓦拉纳西后，我和菜菜打算第二天一大早起来去看恒河日出。

第二天清晨，在宽不足一米、曲折如迷宫般的小巷里，我们和一头悠哉悠哉的牛不期而遇了，眼见贴着墙边也无法避过，我们只好退回巷子口。

圣牛高傲地从我们身边走过，不忘“啪”一声拉一坨粪便在我们脚边，作为给我们的清晨见面礼，仿佛在宣告：“Welcome to India！”

下一个转角处，前面的路人纷纷避让，我们也跟着退到路边，几秒种后几个大男人“嗨吼嗨吼”扛着一个担架快步走来，担架上突起的一块覆盖着鲜红的纱丽，上面洒满艳丽花朵。

他们与我们擦肩而过，直奔恒河方向。一秒钟以后，菜菜颤声问：“谢谢……你说，他们抬的什么啊？”

“是……尸体吧，准备去恒河边烧掉的尸体。”我同样颤声回答。

没错，我们已经到了印度的恒河圣城瓦拉纳西。

头天我们到达瓦拉纳西的时候，已是黑夜。在没有到过印度之前，我对印度的印象除了泰姬陵，都来自于这座城市：肮脏的恒河水面上漂浮着腐烂的尸体，人们在这样的河水里洗澡，街上到处是已经死去或等死的人，满地粪便，苍蝇到处飞，哪怕住高级酒店喝矿泉水都会拉肚子……

我平日里害怕看到动物和人的尸体，不小心看到有时也会忍不住呕吐。我真是鼓足了勇气，才决定来到这座全印度最神圣的城市。

临行前，我还对菜菜说：“我们一定要带点开胃的小菜，再带上几包面条，我这里还有些吃剩的瑶柱也带上，我想，到了瓦拉纳西之后，我会有半个月没胃口，得自己找地方煮面条吃。”

但在夜里真正到达瓦拉纳西时，我并没有看到想象中的满地粪便，除了街上人多嘈杂外，整个城市倒是没看出什么特别。

我们要先找一家旅馆，这家旅馆是我们经过西安时，一对刚从印度到中国的以色列情侣推荐的，他们说：“这家旅馆非常棒，就在瓦拉纳西最神圣的地方旁边。”

我想，他们口中“最神圣的地方”就是指恒河吧。

瓦拉纳西的三轮车司机并没有传说中的不厚道，人民也非常热情，我们一路问过去，不费劲就找到那家旅馆。旅馆的确不错，带空调的标准间500卢比（约70人民币），房费还包括一趟次日清晨到恒河上看日出的游船之旅。

清晨的恒河边上，小小的木船停靠在一个石砌的小码头，岸边许多地方堆满了木柴，靠河边还有一大块黑漆漆的空地。旅馆的船夫开始介绍："瓦拉纳西的恒河边有几十个码头，这个码头是最主要的烧尸场，是瓦拉纳西最神圣的地方。看，那些木柴就是用来烧尸体的，那个地方就是烧尸场。"说着，他指了指旁边那块黑漆漆的空地，可能是烧得太多，柴火的灰烬把土地都染黑了。

时间还早，早上运来的尸体也还没开始烧，我举起相机正准备拍下烧尸场，突然旁边冲出一个小孩冲我吼："不许拍照，不许拍照！"船夫也马上制止我："烧尸场不许拍照。"我赶紧向他们道歉："对不起，我真不知道有这个规定，请看看我的相机，还没有拍到。"

"好啦，大家上船吧。"船夫息事宁人地招呼道，"还有，你们看，那旁边就是我们的旅馆，从一些房间可以看到烧尸场。"

我抬头一看，这点距离，岂止可以看到烧尸场，我觉得烧尸的浓烟随时都可以飘进旅馆里，原来以色列人所说的"在瓦拉纳西最神圣的地方旁边”，是指这个意思！

小船由北向南划行，船夫边划船边介绍瓦拉纳西和恒河。

在印度教的传说中，恒河发源于印度教主神湿婆居住的冈仁波齐雪山，是湿婆头发上滴落的水汇流而成的。恒河本是自西向东流的，到瓦拉纳西的时候拐了一个弯，变成由南往北流，这便成就了瓦拉纳西的神圣，因为印度教徒认为只有圣地，才具有这种让圣河转向的奇异能量。三千多年来，瓦拉纳西一直是全印度最神圣的宗教中心，印度教徒从全国各地来到这里，大体为两件事：一是在恒河里对着初升的太阳晨浴，让恒河水洗去一生的罪孽；二是要死在瓦拉纳西，尸体火化后把骨灰倒入恒河，以求更美好的来世。

“请问，是否每个人在这里死去，都会先在河边火化再扔进河里呢？”

同船有个老外问了船夫一个问题，这也正好是我一直好奇的。以前看到过一些介绍，说恒河上漂满尸体，我也做好了恶心的心理准备，但现在这样的景象一点也没出现。

“不完全是，有一些小孩、自杀的人是不能火化的，还有些穷人在这里死了，没钱在河边的火葬场火化，政府会统一收起来火化后倒进河里。”船夫回答说。

“但我为什么在互联网上看到许多有尸体漂浮在恒河上的照片呢？”我追问。

“我不清楚，有时会有，但真的不多见。”船夫答道。

坐在船上看，恒河的水面更加宽广，河面上来看日出的观光小船有几十艘。瓦拉纳西的另一个奇特之处，是整座城市都建在恒河的西岸。在船上看西岸，密密麻麻地挤满楼房，夹杂其间的还有色彩鲜艳的寺庙和神像。西岸的城里居住着一百多万人口，而东岸却是一块不毛之地，一栋房子都没有。

原因倒是很简单，在神圣的恒河晨浴，需要面对东升的太阳，为了不遮住太阳，整个城市就全部建在了西岸。印度人对信仰的重视，远远高过开发房地产、拉动GDP。

“你们看，这幢大房子是烧尸场老板的，看那边，清晨沐浴的人主要在这一块。”船夫边划边给我们介绍岸边的景色。瓦拉纳西为方便前来沐浴的人，依着恒河的岸边，修建了几十座石阶码头，有些做烧尸场，有些做沐浴场，这些石阶码头被称作“ghat”，比如我们旅馆旁边那个全印度最大的烧尸场，叫Manikarnika Ghat，而信徒们晨浴最主要的地方，是Dasaswamedh Ghat。

过大半个小时，我们的小船从Manikarnika Ghat划到了Dasaswamedh Ghat。来瓦拉纳西的观光客，一开始很难理解印度教的价值观，以猎奇的眼光来看信徒们在恒河的晨浴才是真实的目的，因此大家都在Dasaswamedh Ghat下船。

此时Dasaswamedh Ghat已经挤满前来晨浴的信徒，刚到的人们沿着石阶走进河中，加入已经在晨浴的人群。只见有些人将身子潜入水里，有些人则虔诚地用双手捧起河水，再将水从头顶淋下来。所有人都虔诚地对着日出的东方祈祷，完毕了再以河水漱口，或直接喝上一口。沐浴的男人只穿一条裤衩，上身赤裸，女人身上裹着纱丽。时值盛夏，由父母带来此处的小孩也许尚不懂得此间洗脱罪业和美好往生的意义，对他们来说，在清凉的河水中嬉戏，把握现世的快乐更为重要。

从晨浴的水边到石阶码头的上面，刚来沐浴及洗毕的人群骆驿不绝，地上横七竖八地摊着许多老人或残疾人。印度是一个不以行乞为耻、鼓励布施的国家，沐浴完准备离去的人们大多会顺手放一两个卢比在这些人前面。这些穷人为了更美好的往生，从印度各地来到这里等死，因为只要死在恒河边，就可以得到政府免费的火化，并将骨灰撒入恒河。

我们又从Dasaswamedh Ghat沿着恒河边走回Manikarnika Ghat，一路所见的，除了推销恒河游船的小贩和摊在地上等死的人，还有些每天在此打坐修行的印度教萨图（圣人），这些人每天的吃喝拉撒都在这块狭长的河岸上，因此有些地方也是屎尿横流。

菜菜悄声问我：“你还好吗？会不会觉得恶心？”我摇了摇头。

连我自己也觉得奇怪，之前光看着图片都觉得难以忍受的场景，真的出现在眼前时，感觉竟是如此的自然。

无论荣华富贵还是颠沛困苦，生命终将结束，百年之后，一切还不是尘归尘、土归土？

走回到Manikarnika Ghat，这里一天的烧尸工作早已开始。回旅馆的路必须穿过烧尸场，我和菜菜走过时，烧尸场里已经有几具尸体烧得看不清样子。还有一具刚抬过来的，同样是放在担架上，裹着纱丽，上面撒了鲜花，正放在柴火堆上，家人围在四周，大家嘴里念念有词，似乎在诵读着祝福的经文。

我们穿过烧尸场，又站在旁边看了一会儿，直到柴火堆被点燃，尸体上往生的火焰开始燃起，据说得烧上三个小时。

原来我是一个看到电视里有尸体的图像都会恶心的人，一直以为自己看到烧尸会恶心得半个月没胃口吃东西，但当我真正站在这里，却没有一丝的不适感。三千年来，除了现在多了些来自各国的观光客，这样的场景在瓦拉纳西每天都在上演，它只是一种印度式的丧葬仪式而已。

走过这个天堂和地狱的出入口，已近中午，天气太过炎热，我们被高温逼回旅馆的空调房里，直到黄昏才敢再次出来。

日落时再次穿过烧尸场回到Dasaswamedh Ghat，每天夜晚，这里都会面向恒河，举行祭河仪式；在炫目的烛火和缭绕的烟雾下，祭司缓缓摇动铜铃，沙哑的歌声穿越时空响起。

这恒河的夜晚，沧桑而神秘，身在轮回中的印度人，生有何欢，死又何惧。

⋆ 爱城阿格拉，月下的泰姬陵

我们的爱情，会得到泰姬的祝福吗?

“哇，好漂亮！跟照片里的一模一样！”

站在泰姬陵洁白大理石闪耀出的光芒前，我激动得头脑一片空白，脱口而出这句傻乎乎的感叹。

初中地理课本上有一张泰姬陵的照片，纯白的大理石建筑倒映在蓝色的湖水中。那是整本书中最美丽的一张图片，当时我就想：如果能去到这个地方该有多好。只是当时，我用的是“如果”这样的假设句，因为这种愿望在当时看来是那么遥不可及。

我怎么也没想到，在人生的第二十八年，我就能与自己心爱的人一起来到这里。

所有人都知道泰姬陵，却很少人知道泰姬陵在阿格拉，我也一样，在决定来印度之前，一直以为泰姬陵是在印度首都新德里。

阿格拉似乎远远地就感受到有对超级粉丝要到来，于是给了我俩一个相当有热度的欢迎：我们从德里到达阿格拉的当天，气温超过五十摄氏度。

在瓦拉纳西，我们没能买到直达阿格拉的火车，只好先到首都新德里去转车，在火车上，我们又结识了从东部加尔各答去德里、再转去西北部山区避暑的印度人达斯一家四口。聊着聊着，他们知道我们要去阿格拉，再聊着聊着，他们决定和我们同行。

好吧，初入贵境，我们就带上了印度一家人。

早上8点多从火车的空调车厢出来，气温已经不对劲了，有广东夏天里中午的感觉。马克·吐温说过，印度只有可以熔化铜把手的天气和只能把它烤软的天气，这是一点不假的。

去阿格拉的汽车站由达斯去打听，德里到阿格拉的车也由达斯去打听，我永远不会忘记他打听回来的信息：“是一辆豪华空调快速客车，上车再买票。”进入车站时，看到里面停的那些塔塔牌汽车，我以为自己是进入了一个废弃车场，幸好那些破破烂烂的车里坐满了乘客，让我明白这里真的是一个车站。

我不是挑剔车子烂的人，只是现在的温度，让我在里面挤上几个小时，我担心会就这样去见湿婆神了。听到达斯打听回来的好消息，我们就美滋滋地找了个凳子在候车厅里坐下来等“豪华空调快速客车”，虽然坐在椅子上也挥汗如雨，但起码有个盼头。

“客车来啦，走！”过了一个多小时，达斯大喊一声，把快瘫倒的我们叫了起来。放眼望去，一辆与那些破车相比没那么破的车开进了车位，车窗紧闭，看起来的确是一辆空调车。

管他的，有空调就行，我背起包就上去抢位子，菜菜跟在我后面。

我的妈呀，上车不到十秒钟我全身都湿透了，这的确是一辆空调车，只是车子早已老旧，座位上面换气口放出的微弱冷气，完全抵消不了烈日暴晒下密闭车厢积聚的热气。

哥坐的不是空调车，是桑拿房。

中午近12点，“豪华空调快速客车”开动后，我们瘫倒在座位上，衣服早已湿透，除了喝水，一动不动，什么也不理了，只盼望这辆车真的能“快速”，让我们活着到阿格拉。

从德里到阿格拉约两百公里，下午6点，“豪华空调快速客车”进了阿格拉车站，谢天谢地，我们还活着。

夕阳即将西下，但暑气丝毫未减，从车站坐三轮车到泰姬陵附近找旅馆，迎面吹来的风热得让我们难以睁开眼睛，除了印度，我想只有在炼钢炉旁、火山口边才能体会到这种热吧。

我们住进了泰姬陵东门边的一家旅馆。阿格拉住宿费不便宜，为了省钱，我和菜菜决定住一间没有空调的电扇房，我们天真地以为晚上会凉快一点。

那天晚上，我们洗完的衣服挂在房间里不到一个小时就干了。

那天晚上，我通宵只干了三件事，三件都跟睡觉无关：1. 进浴室冲被晒热的自来水；2. 用盆子装水，把房间地板浇湿；3. 出去纳凉半小时，回来发现地板全干。

三件事重复十几次后，天就亮了。

晚上纳凉时，隔壁房间传来的都是水声，这证明亚穆河边的阿格拉还是不缺水的。

那天晚上，菜菜还是睡着了，没有什么能够阻挡菜菜的睡眠。

第二天一早准备去泰姬陵时，达斯一家四口只来了达斯一个人。“太热了，我们一家通宵都没睡着，他们三人刚睡下，不去泰姬陵，我一个人去。”

隔天在网吧上网时，新闻网站上有一则消息：“印度西北部地区的德里、阿格拉一带，近来遭遇百年不遇的高温天气，最高气温达五十摄氏度，目前已经有近三百人被热死。专家警告，接下来几周内，死亡人数可能会继续增加。”

虽然整晚没睡觉，想起马上要看到泰姬陵了，还是很兴奋，泰姬陵的门一开我们就第一批进去。睡了一晚好觉的菜菜果然精力充沛，健步如飞，以迅雷不及掩耳的速度攀住了一张长凳。

“快来啊谢谢，这里是托尼和莫琳夫妇第一次穿越亚洲时拍合影的那张长凳！”菜菜兴奋地叫我，她是这对“孤单星球”创始人夫妇的忠实粉丝。

我们围着这张有历史意义的长凳拍了半个多钟头，达斯早不耐烦，自己逛去了。

长凳、前庭水池、正面拱门、侧面拱门、侧面清真寺，每一种拍摄的角度都不放过，虽然当天空气扬尘大，天空颜色惨白，但在阳光的照射下，纯白色大理石构造的泰姬陵闪闪发光，水波印着陵寝的风采，真的非常唯美。

拍了一个小时左右，旅行团陆续到来，拍摄角度较好的地方全部被人群占据。既然最好的拍照时间已过，我和菜菜收起相机，决定找个地方避暑再说。

“对了，明晚是月圆之夜，泰姬陵会开放晚间参观，我还想再来一次，你呢？”

“还是先找一家有空调的旅馆吧。”我说，“不然我就会丢下你，一个人先去见湿婆了。”

夜晚参观泰姬陵的门票需要提前一天以上预订，票价与白天的一样，但晚上仅允许八批游客依次入内参观，每批五十人，参观时间只有半个小时，前一批出来后，后一批才可以进入。

一向抠门的我们，为了能安安静静地看一眼月色下的泰姬陵，头天一到阿格拉时就去预订了晚间参观的门票。达斯一家也预订了。泰姬陵白天的门票，外国人要750卢比，印度人只需要30卢比，夜晚的门票则是一视同仁，全部750卢比。

吃完晚饭，我们沿着东门对面的大街，一直溜达到东门，等待入场。泰姬陵周围有不少军警，还设了一些路障，显而易见是为了保护国宝的。

在东门边站了一会儿，门卫阿伯吆喝过来：“嗨，你们，是不是夜间参观的？不是在这里等，两公里外有个办公室，到那里等。喏，那边有个车，你问那个士兵能不能载你过去。”

士兵们倒是非常友好，我们表明来意后，有个士兵就开电瓶车把我们从东门带到办公室。那边果然已经有很多人在等，但找遍人群，我们都没发现达斯一家。

到点了达斯一家还没来，我们同一批的所有人都经过严密的安检后才上了车。巴士开往东门，一路要过许多路障，还有两处，巴士不知为何竟要开成S形绕着走，中途又经过一道安检，最后到东门前再安检一次，包括X光机检测、手持仪器扫描、还有人手搜身检查。啧啧，安保真严密啊。

快到东门时，我们在车上突然发现达斯一家很迷茫地走在路边，大概他们快到时间了才来东门，然后被告知要先去两公里外的地方安检一下。悲催！

进入泰姬陵后，我和菜菜走在陵园里，圆月当空，纯白无暇的泰姬陵在月色下，显得那么的温柔。没有白天游客的喧哗，我和菜菜依偎着坐在前庭的水池边，静静地看着这座见证爱情的伟大建筑。“月上柳梢头，人约黄昏后”，多么的浪漫。

停、停……不好意思，这只是进去之前我的想象，实际情况是这样的：

进入泰姬陵后，几个士兵手里拿着冲锋枪，押着我们四十几个人往里走，进入第一个正面拱门后，还没到前庭水池的地方有一小块空地，空地四周用绳子拦着，士兵头头指指地上说："就在这待着，别乱跑。"然后开始倒计时三十分钟。

那晚人品不佳，天气不好，天上没有月亮，但都说巨蟹座的人容易满足，能看到泰姬陵的夜景，我也就心满意足了。

大概过了二十分钟，达斯一家终于气喘吁吁地跑进来了。

又过了几分钟，士兵喊了声："时间到了，出去吧。"参观结束。

出来后我给达斯一家拍下合影一张。再见啦，我可爱的印度旅友，明天我们就各奔东西。

除了泰姬陵，阿格拉另一个伟大的世界文化遗产建筑便是阿格拉堡——印度最后一个封建王朝莫卧儿的都城。泰姬生前就是和深爱自己的丈夫沙贾汗生活在这座红色的砂岩城堡里，城堡见证了两人的爱情故事，也见证了故事的悲惨结局。

"请为我建造一座美丽的陵墓。"为了泰姬临终的遗言，沙贾汗穷其余生，用纯白的大理石建造了完美的泰姬陵。陵墓建好后，沙贾汗原本打算在亚穆河的对岸，用纯黑的大理石为自己建造一座与泰姬陵一模一样的陵墓，再横跨亚穆河，建造一座黑白相间的大理石桥，把两座陵墓连接起来。

但在泰姬陵完工后，沙贾汗和泰姬的四个宝贝儿子却为皇位自相残杀，四子奥朗则布杀死了三个哥哥，并把父亲沙贾汗囚禁在阿格拉堡的一处阁楼里。从阁楼的窗子里可以望见泰姬陵，沙贾汗每天只能对着爱人的陵墓，缅怀两个人过往的点滴。而当奥朗则布知道了父亲的眺望之后，竟挖下他的眼睛。连最后的一点慰藉也失去的沙贾汗，不久便郁郁而终。

第二天早上，我和菜菜站在当年沙贾汗被囚禁的阁楼上，遥望数公里外亚穆河边的泰姬陵。

泰姬静静地躺在丈夫为她建造的陵墓里，她的面容一直那么温婉秀丽。她活着的时候，和丈夫同甘共苦，行影相随，她也像天下所有的母亲一般，对子女们充满怜爱和期待。

幸运的是，她再也看不到丈夫晚年的悲戚，听不见断头台上儿子们骨肉相残的哭诉。她的心，就如同这座陵墓一般，永远纯白无暇。

我们的爱情会得到泰姬的祝福吗？我不由自主地握紧了菜菜的手。

★ 五星级酒店里的偷纸贼

对不起啦，我们属于穷游“种姓”！

乌布代尔是印度南部的城市，又被称为“白色之城”。因为莫卧儿王朝时期的王公乌代·辛格在修建这座城市时，以白色作为城建的主要基调。另外，他还不惜代价引入水源，在自己的白色宫殿旁造出了一片烟波浩渺的皮丘拉湖，从此，乌布代尔有了今日的山清水秀。

莫卧儿王朝的强盛与繁荣早已风流云散，但这抹独特的白色却得以永久留存。王公的一座白色离宫甚至被改建成了豪华酒店，也就是著名的“湖宫酒店”。这座建筑矗立在皮丘拉湖中央，是全印度最奢华的酒店之一，伊丽莎白女王曾经在此下榻；不过，最令它声名大噪的事件，还是1983年的“007”电影将这里作为了外景地，从此，印度的富商豪贾、达官贵人都对这酒店趋之若鹜，旺季时酒店甚至要对客人进行身份筛选，换句话说，不是你有钱就能住的。

这样奢华的酒店，像我们这样的穷游儿当然无缘得住；不过，听说王公城市宫殿的另一部分改建的酒店会为旅行者提供下午茶，这样难得一遇的旅行经历，我和菜菜当然不会错过。

那天，我们在附近的宫殿参观了一圈后，便打算从另一个大门进入酒店。谁知穿得太寒酸，被眼尖的门卫一把拦住："对不起，只有本酒店住客才能入内。"

"我们是去餐厅喝下午茶的啦。"解释之后才被放行。

我们跨入门边的一条通道，走向位于三楼的餐厅。这里的装饰果然豪华，地上铺设着百年前的格子瓷砖，两旁放着一排红色垫子的深褐色木沙发；墙上挂着巨幅的拉贾斯坦画作。通道屋顶四周有十数盏小玻璃吊灯，围着中间一盏巨大而做工精美的银质吊灯。一扇伊斯兰风格的拱门上，挂着一个黑色盾牌，两旁延伸着数十把拉齐普特武士刀，刀尖向上整齐排列。走廊尽头是一幅巨大的梅瓦尔城邦的红色旗帜。

我们这两个一路穷游过来的人，前天晚上还在"粉色之城"斋普尔的贫民区蹲在路边吃10卢比的晚餐，今天面对这奢华的门厅，不免要像土人般边看边啧啧称奇。

"你们好，欢迎来到我们酒店，请问有什么可以效劳？"身后传来的声音把我们给叫醒了，回头一看，是一个头上缠着纯白头巾、身穿一袭传统拉齐普特纯白长衫的侍者。他将右手放在左胸前，身体微躬，对我们行了一个问候礼。

“你好，我们想来喝下午茶，请问是在这里吗？”我赶紧回礼，小心翼翼地问道。

“这是我们酒店的厕所，餐厅请往这边请。”

这这这，这厕所也太奢华了吧！

侍者领着囧囧的我们从一道大门进入了餐厅。我们又被这里超豪华的装潢吓了一跳。

超大的宴会厅里铺满红色的地毯，桌椅摆放得井井有序，正面墙下立着一个主席台，大概是举行大型宴会时使用的嘉宾座。主席台对面墙上，挂着三面闪着金光、做成太阳神形状的王公像，像旁挂满刀枪剑戟盾等传统武器。屋顶四角各挂一盏吊灯，中间纵向还有三盏更巨大的，其豪华程度，足以与中石化大厅的天价吊灯媲美。

“你们看，这个餐厅以前是我们王公的宴会厅，所有贵宾，包括英国皇室的人和其他城邦的王公来，都在这里接见。中间那盏吊灯，是全印度最大的水晶吊灯哦。”侍者笑眯眯地在旁介绍着，我们两个没见识的人只顾着跑前跑后忙着拍照。

从旁边的拱门出去，还有一排对着落地拱窗的方形木质餐桌，拉开窗帘，对面就是皮丘拉湖中的湖宫酒店。

对比让人很有压力的宴会厅，这个边厅更加轻松，我们决定就在这里用餐啦。

好不容易等到我们坐下来，侍者送上菜单，我们点了最简单便宜的双人份下午茶套餐，750卢比，大约人民币100块钱。

这是一份英式下午茶，侍者摆上餐具，再端上一壶茶，餐具和茶壶都是银质，茶是上好的大吉岭红茶，茶叶用绸缎质地的茶袋包着，还有牛奶和糖，各人可以根据自己的喜好决定是否做成奶茶。

喝了一杯茶，侍者送上茶点，三层的白色瓷盘如塔状层叠垒在铁架上，下层是四种不同的曲奇饼，中层和上层共五种蛋糕，配上果酱和蜂蜜。中间还放上一个小花瓶，插着一朵红玫瑰。

“请慢慢享用您的下午茶。”

侍者上完所有的东西，帮我们挂好面向湖宫酒店一侧的窗帘，就退到离我们有一段距离的地方，微笑地站着，这样既不会打扰我们，有需要的时候只要一招手他就可以过来。

托了淡季的福，整个下午都没有其他的客人，我们俩得意地独享了这个属于王公的宴客厅。

也许，当年也只有王公和王妃，可以在一个清闲的下午，独自对着皮丘拉湖享用一份这样的茶点吧。

侍者从我们进来时起就一直只有一位，虽然我们穿得落魄，点的是最便宜的东西，他还是一直保持着最佳的服务，尽职尽责，令人感动。

虽然不是在湖宫酒店，这仍然是很棒的一顿下午茶，菜菜认为品质与香港半岛酒店相当。而且这里茶点的分量很足，我们吃撑了也没吃完一半，遂打包带走。走时菜菜拍了拍我，我知道她意思，在餐桌上留下了丰厚的小费。

临走时我们又去了那个豪华洗手间，出来后我悄悄地跟菜菜说："里面用的卷纸好棒，比包装的纸巾还好，我偷了一卷。"

"哈哈哈，我也偷了一卷放摄影包里。"

在路上我们为了省下买纸巾的钱，每次到好点的餐馆，或者路过城市里的肯德基和麦当劳，都会进去顺上点纸巾。

对不起啦，印度教讲究"种姓"制度，各种姓要遵守相对应的"法"。我们属于"穷游者"种姓，我们的"法"就是要体验不同的文化和生活：既要能安贫乐道地和印度贫民蹲在路边吃10卢比的晚饭，也要体验王公的奢侈；既要享受旅行，也要想尽一切办法省钱。

★ 犯忌的吞拿鱼

纵火者杀人，灭火者杀死火焰，是耆那教的教义。

"谢谢，你早餐想吃什么啊？我看我们不如拿包里的那些瑶柱煮面条吃，再把那些吞拿鱼的罐头也干掉。"这是在拉贾斯坦邦的"蓝色之城"焦特普尔，一天早晨醒来时，菜菜对我说。

“好啊，不过我们要先问问老爹同不同意我们用厨房，你去问啦。”我躺在床上，炎热还是让我打不起精神。

在来印度之前，因为担心自己适应不了印度的饮食，我们随身背了一些面条、瑶柱和一罐在尼泊尔买的吞拿鱼罐头。但是没想到我和菜菜都爱上了印度的饭菜，甚至吃起了路边摊，这些食物就成了累赘。

过了一会儿，菜菜从门外探进头来，告诉我，老爹答应我们使用厨房了。

在南亚地区，未经主人同意进入厨房，是非常不礼貌的事情。这间旅馆的老板，我们都叫他“老爹”，是个非常和气的老人，所以菜菜才会想到跟他借用厨房。

我走进厨房，旅馆老爹和他的儿子们很新鲜地笑眯眯看我弄“中国面条”。有客人喊了，他们就出去招呼客人，临走时说：“一会儿我们也要尝尝中国面条哦。”

瑶柱将就着泡了会儿，扔进沸水煮开入味，过会再下进去面条，很快，一份中国早餐就完成了，我美滋滋地把煮好的面条盛进碗里。

准备铺上吞拿鱼时，却发现厨房没有罐头刀，于是我找了把小刀子做矬子，再找了把菜刀做锤子，一点点把罐头凿开。正在往碗里倒吞拿鱼时，老爹进来，笑眯眯地问：“面条煮好啦？现在倒进去的是什么呢？”

“吞拿鱼，很好吃的哦，来尝一点吧。”我拿个小碗，准备分一些给老爹。

“什么？鱼，你说这是鱼？”笑眯眯的老爹突然脸色大变，对我大吼。

“是啊，这是鱼，怎么了？”我莫名其妙。

老头的儿子在外面听到响动，也进来了，明白是怎么一回事后赶紧把脸色铁青的老爹拉到一边，又把我拉到另一边，对我说：“我们旅馆是不允许吃肉的，这是很大的罪过，你看那边，我们的神在看着。”他指指角落的一个神像。

老爹黑着脸，低头对着神像念念有辞，祈求着神灵原谅我的罪业。我心里非常过意不去，赶紧跟老爹一再道歉：“对不起，真的很抱歉，我不是有意在这里做鱼，我真的不知道这个规矩，实在对不起！”

老爹还是黑着脸不理我，他儿子赶紧过来拉着我说：“好啦，你是客人，不知道我们的文化，不怪你，但我们这里不能吃肉，你快点把你的面条拿回房间里去，在房间里吃完洗干净再拿上来。”

捧着碗回到房间，我把这件事告诉了菜菜。我们三口两口吃完了面，把碗用肥皂洗了几遍，生怕留下一点油渍，然后两个人一起上去天台还碗，再跟老爹不断道歉。

这会儿老爹气头也过了，接过碗说：“算了，你们不知道我们的文化，下次不要在这里吃肉了。”

后来我们才知道，我们所住的旅馆，老板一家都是虔诚的耆那教徒。

印度人的素食主义来源于本土的宗教信仰。杀生对许多教徒来说，会是一种业报，因此许多人提倡素食，特别是高种姓的印度教徒。

而耆那教提倡的更是极端的非暴力，“纵火者杀人，灭火者杀死火焰”是耆那教最著名的教义。最虔诚的耆那教徒不从事农业，因为耕作的时候难免会杀死田地里的虫子。耆那教要求所有的教徒都素食，甚至不能吃植物的根。

佛教今日在印度已经式微，耆那教却还有较大的影响力，特别是在相邻的拉贾斯坦邦和古吉拉特邦。因此，这两个邦在动物保护方面也做得很好，拉贾斯坦很多城市的街头除了常规的牛、羊、马、驴、鸽子、乌鸦、大雁、松鼠、猴子等动物，还可以看到大象和骆驼，整个城市如同一个动物园。这样的景观，全世界估计只有在印度才可以看到吧。

在吃完那顿十恶不赦的早餐后，我们参加了旅馆的市郊沙漠村庄旅行，到附近的几个村庄参观。整个吉普车上的游人也只有我们俩，还有一个司机兼导游。

吉普车才驶离市区，就看到三三两两的骆驼自由地漫步在路边的沙地，伸长脖子嚼着灌木上的树叶。孔雀们一点不怕生，不时从灌木丛中蹿到公路上，看到我近前去拍照，也毫不恐惧。还有一种很可爱的鹿，体型比羊稍大，除了肚皮和腿的内侧是白色的，全身土黄色，头很小，但两只眼睛圆鼓鼓的特别大，它们一群群地在路边灌木丛中歇息、嬉戏，跑动起来又非常迅速。

“这种鹿是印度特有的哦，很珍贵。你看那边在打架的两只，有角的是雄鹿，没角的是雌鹿。”我们的司机边开车边介绍。而这种珍贵的鹿，在沙漠公路边的灌木丛中自由奔跑，无需担心人类的伤害。

受种姓制度的影响，印度的社会分工非常明确，这里的村庄也不例外，各村子分工不同，有制作陶器的村子、纺织的村子、印染的村子等。

对我和菜菜来说，最特别的是经历是，作为游客，我们在这些村子里，喝到了鸦片制作的饮料！

因为拉贾斯坦邦几个民族的传统，食用大麻和鸦片在这里是被允许的，其中用鸦片制作的茶，是该地区战时给士兵服用或用来款待客人的。

村民制作鸦片茶的工具很特殊，一个两边各带一个布质漏斗滤网的木架，滤网下又各放一个梭型木质容器；鸦片混入水和其他一些东西后，放入器具中研磨混合，再经由两个滤网反复过滤。

过滤期间，做茶的村民嘴里念念有词，做好后先洒一点到前面的土地上。

“这是敬献给湿婆神的。”我们的司机解释说。湿婆是印度教的主神，喜好吸食鸦片。印度人的宗教信仰比较开放，一个印度教教徒，也可以同时信仰耆那教或者佛教，因此在这个耆那教区，敬奉印度教的神是很正常的。

村民用碗盛上鸦片茶递给我们，我们喝了一口，味道不大好，也不敢多喝，毕竟从小学校里就教导这是伤身体的东西。

“再喝一点，这是好东西，强壮，强壮。”司机比划了一个秀肌肉的姿势给我们看，示意多喝点对身体好。

“鬼才相信你呢，爱喝你喝。”我暗想着，把整碗鸦片茶递过去给他，不想这家伙抓起来一饮而尽。

“喂喂，不要喝太多了，一会儿还要载我们回城呢。”我赶紧叫住了他。

⋆ 我们带去了暴风雨，但还是付了旅馆钱

伙计说要有雨，就有了雨。

准备从焦特普尔出发去“金色之城”杰伊瑟尔梅尔的那天，下了一阵小雨，旅馆的老爹说，沙漠里的雨季就要到来。

这是一个好消息，因为杰伊瑟尔梅尔是一座真正深入印度大沙漠腹地的小镇，在阿格拉时，达斯就警告我们说：“杰伊瑟尔梅尔是最热的地方，你们千万要小心！”

第二天清晨，夜班火车刚到杰伊瑟尔梅尔时，气流稳定，还可以看见天上积着薄薄的一层云，待到找好旅馆时，风沙又起，肆虐的黄沙遮天蔽日，连太阳都看不见。

这样也好，虽然还是很热，但比想象中好得多。

杰伊瑟尔梅尔城堡在沙漠中的一座小土山上，通体用黄色的砂岩建造，是已有近千年历史。城门的两边供路人坐下休息的砂岩，已经像被磨得如玉石一般光滑。

这是一座依然鲜活的城堡，全市四分之一的人口居住在砂堡

内。城堡外的杰伊瑟尔梅尔城镇很小，房屋边全部采用和城堡一色的砂岩建造，样式都是最传统的。

在天气好的时候，整座杰伊瑟尔梅尔城堡和城镇里的民居，在暖调的光线映衬下呈现通体金黄，因此这里被称为“金色之城”。

我们的旅馆在城堡顶上，天台就是一个很棒的碉堡，可以俯瞰整座金色之城和城外的印度大沙漠。

和在瓦拉纳西时住的那个烧尸场边的旅馆一样，这个很棒的古堡旅馆也是路上偶遇的那对以色列情侣介绍给我们的。因为旅行指南书里没有推荐，再加上是淡季，整个旅馆里只有我们两个客人，于是我们住到了最大的一间景观房，价格却只要一晚250卢比（人民币30多块）。

房间里所有地方都铺着一层沙子，我们进去后，旅馆的伙计曼纳拿起一块布把桌椅上的沙子扫到地上，再把罩在床上的一张宽大的布掀起，说：“你们白天出去的时候，记得把窗户关好，再用这块布把床罩好，现在这个季节每天风沙都很大。”

收拾停当，我们就出去逛城堡。这里有一座城市宫殿，是以前王公的住所。闲逛在古堡中蜿蜒曲折的小巷里，经过一个个耆那教或印度教的庙宇，人们正在烧香祈祷，空地里一群小孩打着板球，看见拿着相机的我们走过，通通围过来要求拍照，街角处三三两两身穿各色纱丽的妇女站着闲扯家常……

唯一能与数百年前的生活相区别的，只有不多的几家旅馆和一些售卖手工艺品的商店。杰伊瑟尔梅尔城堡，本身就如同一座活着的千年博物馆。

中午走出城堡到外面的街上去吃午饭，巴扎（集市、农贸市场之意）里除了有售卖手工艺品、水果、蔬菜、服饰等的店，甚至还有“政府许可的大麻店”。

古时杰伊瑟尔梅尔扼守从印度前往中东的商贸通道，就如同我国丝绸之路上的沙漠重镇一般，因此商人阶层特别富裕。杰伊瑟尔梅尔王公的城市宫殿虽然没有其他几个城市的宏伟，但城堡外商人们的豪宅“哈维利”却是拉贾斯坦地区最精致的。所谓财不可外露，从外表上，看不出方方正正的土黄色围墙里有什么乾坤，进入里面却发现雕饰华丽，屋内亭台楼阁样样俱全，就如小型的宫殿。

晚上回来，我和菜菜坐在这座沙漠中央的千年古堡顶上，吹着沙漠里夜晚的凉风，在星空下吃拉贾斯坦土产的甜西瓜，就如同生活在“一千零一夜”的世界里。

除了参观这座古沙堡，来杰伊瑟尔梅尔最棒的体验就是深入印度大沙漠里做一次骆驼之旅。

我们所住的旅馆的伙计曼纳是一个健谈的家伙，第二天早晨，当我们在天台上吃完早饭聊天时，曼纳听说我们要去沙漠里骑骆驼，就天花乱坠地向我们推荐起他们旅馆安排的骆驼之旅。

“这么好，真的吗？”本着“无事献殷勤非奸即盗”的原则，菜菜略微表示了一下怀疑。

“我为什么要骗你，我们的收费又不比别家贵，但是安排的骆驼和休息的地方都是最好的，不信你们去看以前顾客的留言啦！”曼纳有些忿忿地说。

说来也巧，在曼纳抱过来给我们看的厚厚留言本中，我一下就翻到了那对以色列情侣的推荐。虽然比划潦草也看不清他们写的是什么，但这足以让我们决定，将自己的沙漠骆驼之旅交到这位能言善辩的曼纳老兄手中。

“曼纳，今天清晨我们刚到的时候，天上有一些云，我担心明天会下雨，我们昨天在焦特普尔就下雨了。”出发之前，我略微地向曼纳表示了一点忧虑。不过，连我自己也都觉得这不太可能，四十度的高温，加上满天黄沙，怎么说都没有一点下雨的氛围。

“安心啦，不可能下雨的，我们杰伊瑟尔梅尔三年没下过雨了，你看城外那里，原来那是个小湖，早就干涸了。”曼纳指着城镇外一片凹下的土地，那里早已覆盖着黄沙，谁知道已经干涸了多久呢。

“那如果下雨了呢？”

“噢，你们要真能把雨从焦特普尔带到杰伊瑟尔梅尔，就是这座城市的英雄，骆驼旅行的费用和旅馆的住宿费，我一分钱都不收你的。”曼纳拍着胸脯，信誓旦旦地说。

然而，天有不测风云，曼纳口中三年不下雨的杰伊瑟尔梅尔也一样。

第二天清晨，窗户上一阵“噼里啪啦”的拍打声把我从睡梦中吵醒，爬到床边一看，下雨啦！这场豪雨在城堡下的城镇里肆虐着，随着沙漠里的狂风，刮进了我们的房间。

“下大雨啦！快起来。”我“啪”一声关起窗户，把还在熟睡的菜菜拉了起来，冲上天台找曼纳。这家伙正打着赤膊，借着雨水在清扫天台。

“下大雨了，还去沙漠吗？”他大声问。

“去，为什么不呢？”我们没有丝毫的犹豫。

我们真是太幸运了，在印度沙漠里体验过骆驼旅行的背包客有许多，但有多少人能够遇到沙漠里的暴风雨？又有多少人能在暴风雨中体验沙漠里的骆驼之旅呢？

于是我们飞快地收拾，扔了两件衣服在一个防水袋里，干粮和饮用水则由曼纳负责。骑骆驼的起点是在城外数十公里的沙漠里，前往那里的吉普车已经等候在城堡下。我们从旅馆沿着马道走下去，城堡里的街道早已像小河一般，汇聚起来的雨水沿着马道流到城堡下，也带走了平日积起的垃圾和沙土，给城堡来了一次彻底的清洁。

我们趟着水到了城堡下，坐上吉普就出发了。

没有别的游客，只有我和菜菜、曼纳、一名司机。

车子开出城堡，城镇里也早已积水成河，许多三轮车陷在水里，已经熄火了。但三年一遇的大雨让街道成了狂欢的场地，镇上的人都冲到了街上。我看不到一把雨伞，大家都站在雨中，有些人傻笑着，有些人用手捧着雨水不断拍打自己的脸，有些人大叫着跳起了舞。孩子们在水里打滚嬉戏，就连骆驼和牛也加入了这场狂欢，完完全全就像电视剧《西游记》里孙悟空借到芭蕉扇扑灭火焰山的火，天上降下豪雨时，火焰山下村民们庆祝的场景。

我们的吉普车在雨中驶出城外，沿着沙漠中的公路呼啸着驶向起点的村庄。车开了一个多小时，到目的地——曼纳的家时，雨逐渐小了下来。

曼纳住的是一间土胚房，他招呼我们进屋子。一个身穿红色纱丽的女人给我们端来热奶茶，屋里一群小孩围了上来。

“我们的骆驼正过来，先在这休息一会儿，这是我大哥的妻子，这些小孩有些是他儿子，有些是邻居的小孩，严格来说，这是我大哥的家。”曼纳向我们介绍着，除了曼纳，其他人一点英语都不会讲。

喝了杯茶，我们到村子里溜达。这是一个沙漠深处的村庄，骆驼是最主要的牲畜，不时可以看到小孩子骑着一头骆驼，后面带着一群骆驼跑过。

曼纳解释道：“很久没下过雨，骆驼们都很兴奋，都跑起来了。”

过一会儿我们的两头骆驼来了，负责牵骆驼的是一个村里的小孩，只有十四岁。

曼纳和司机不跟我们一起走。“今天下午，孩子会带你们穿过那一片沙漠，我们在终点等你们。”

出发时，雨又开始变大，我们赶忙把自己带的雨衣穿上，摄影包藏在雨衣底下，把相机保护起来。带路的小孩却欢天喜地地淋着雨。那小孩只会说几句简单的英语，就像我刚出门那会，一路上除了问问叫什么名字，几岁了，就没办法再交流。

顶着大雨在起伏的沙丘上走，我们骑的骆驼似乎有些不受控制，时而慢走，时而奔跑起来。还好小孩经验也够，能勉强控制住这两头顽皮的骆驼。

“菜菜，坐稳点，抓紧啦。”有几次我觉得要从骆驼背上摔下去，就赶紧朝前面走的菜菜大声喊，提醒她抓紧缰绳。

“对不起，大雨，太高兴了。”小孩在前面指了指骆驼，又指了指天，大概是想说下雨了骆驼太兴奋，不受控制。

就这样颠簸了一个多小时，屁股都快裂开了。这时雨又小了下来，我们赶紧让小孩喊停骆驼，下来让屁股歇一会儿。骑骆驼也是椿体力活啊！

歇了没几分钟，那两头骆驼又站起来绕着沙丘走来走去，小孩把我们喊起来说：“走吧，停不了，骆驼们要走。”

唉，真不知道是我们骑了骆驼，还是这些疯狂的骆驼骑了我们。

到傍晚穿过这片沙丘到终点时，我的屁股早被颠得麻木了，而曼纳跟司机悠哉悠哉地喝着奶茶，等着我们的到来。

今天的终点是附近村民在离公路不远的沙地里搭起的一片营地，可供参加沙漠骆驼旅行的游客过夜。营地里有几间土胚房，房顶用茅草盖起来。平日里这些房子是不用的，过夜的游客都是睡在旁边的露天空地上，但今天下雨，就必须睡在屋里了。

我们到达没多久，又来了三个英国人，是另外一家旅馆的。今天的游客就我们五人，曼纳说现在是淡季，已经有好多天没有游客到来了。

晚上，曼纳他们几个人捣鼓着在厨房里升起火，煮了一份土豆咖喱，做了煎饼，我们在空地里顶着细雨，吃完了晚餐。

晚饭后曼纳给我们抢先占了一间土胚房，把我们拉进去悄悄说："这里很久没有人住了，这间是干净点的，你们赶快进去。"

我们点着头灯进去，这才明白为什么刚才曼纳宁愿带我们在外面顶着细雨吃晚饭，也不进来吃。虽然外面经过一整天的大雨，已经非常凉爽，屋里厚厚的土胚墙体和屋顶的茅草却异常保温，积累了几个月的热气没有散发掉，十分闷热，墙角上都是蜘蛛网，灯光打在墙上还能看到壁虎在爬。

我赶紧打开一扇小小的窗子，曼纳拿起一块布，在床上使劲拍打，清理掉床上的脏东西和沙土。

虽然闷热，但我们睡觉时还是不敢开着门，只留下那扇窗开着。夜里雨又开始变大，打在屋顶的茅草上飒飒作响，土屋子挡不住雨水，慢慢的有些雨水从墙壁上渗入。关掉头灯，屋子里伸手不见五指，只听见大雨伴随着沙漠里的狂风，鬼魅般的呼啸声从窗外传进来，让人毛骨悚然。

菜菜睡得还是那么死，我又把摄影包都挪到自己这头，再用随身带来的锁链锁好。

在这个如魔鬼降临的沙漠之夜，我一直辗转反侧，直到半夜才沉沉睡去。

第二天早上起来，雨比昨天更大，风也刮得更厉害，大家商量后决定放弃余下的骆驼旅程，赶紧撤回城里。

我们和三个英国人的两辆吉普一起出发回程，这样万一在路上抛锚了还可以彼此有个照应。

从沙地回到公路上又走了半个小时，雨慢慢变小，前面有几辆车停在路边，靠过去一问，原来昨晚的雨水冲垮了前面的一段路，现在水积得很深，汽车没办法通过，只能祈祷雨不要再下，等积水退去后再走。

幸运的是天慢慢转晴，太阳也偶尔从云层中露出脸，加上沙漠里的水退得快，等了两个小时左右，车子终于顺利通过。

回到城镇时，有些三轮车依然浸泡在街巷的积水中，但头顶已经蓝天白云无比清爽。经过两天雨水的冲刷，空气也变得非常干净清新，和前两天的漫天黄沙相比，整座城镇好像换了一种风貌。

下午回到旅馆，洗漱完毕退房时，吹牛大王曼纳一句不提前天说的如果下雨就不收我们一分钱的话，还是一分不差地收了。

不过，用菜菜的话说，我们能幸运地拥有一段在印度大沙漠里顶着暴风雨旅行的经历，还计较房钱干什么呢？

⋆ 吃在印度的火车上

印度的火车没有想象中恐怖，反而带给我们惊喜的“吃”的体验。

关于印度的火车，太多旅行者有过刻骨铭心的体验。

我和菜菜第一次在印度坐火车，坐的是最廉价的、专供贫民乘坐的普通车厢。那时我们从戈勒克布尔到瓦拉纳西，因为去车站去得晚，又没有在网上订票，只买到了没有对应座位的最便宜车票。那车厢里是能挤多少人就挤多少人，加上四十几度的高温，每一个印度人都在尽情散发着身上的体味，虽然只呆了五分钟我们就奋力挤去了更高等级的车厢，但那段经历足以让我永生难忘。

不过，在印度旅行一段时间以后我们发现，印度的火车远没有想象的恐怖。印度的火车票实行实名制，可以方便地在网上购买，再加上完善的售票网络，在任何一个小站都可以买到全国各地的车票。火车，实在是印度最为便捷的旅行方式。

印度的确是一个很喜欢把事情复杂化的国家，如同他们的等级制度和数不清的诸神，他们的火车车厢也分为六个等级：一等空调卧铺（1AC）、二等空调卧铺（2AC）、三等空调卧铺（3AC）、空调座椅（ACC）、卧铺（Sleeper）、普通车厢（Common）。

对旅行者来说，在印度旅行最常使用的两种车厢是三等空调卧铺（3AC）和普通卧铺（Sleeper）。这两种铺位的价格相差近一倍，如果天气不太热，还是普通卧铺性价比更高。

我和菜菜在印度旅行时，正是炎热的夏季，因此三等空调卧铺便成了我们的首选。这种车票的价格还包括了旅途间的餐费，因此，我和菜菜的印度火车之旅又多出了一项体验：在火车上吃饭。

例如，我们坐从巴特那到德里的快车，行程一千公里左右，需要十二个小时，这趟火车的三等空调卧铺票价1200卢比（约170人民币），就包含当晚的晚餐和次日的早餐。

晚餐包括前餐、正餐、餐后甜点，上车后，列车员会先询问需要肉食晚餐还是素食晚餐，通常，素食的晚餐会更受欢迎。晚餐时间列车员先送上前餐，包括一份汤、一份配了奶油的小棍状脆饼、一份蔬菜沙拉，吃完后列车员过来收走擦干净；歇一会儿后送上正餐，包括一份印式炒饭、豆汤、两张奶油煎饼、一份酸奶、一杯奶茶、一份主菜，选择肉食晚餐的会是一份鸡肉咖喱，选择素食晚餐的会是一份素咖喱。吃完正餐后列车员收走餐盘，擦干净桌子，再过一会儿送来餐后甜点，通常是一份冰激凌。

比起国内火车上难以下咽的盒饭，这样的用餐配置，让我和菜菜简直觉得是到了天堂啦。

除了吃这样中规中矩的火车餐，我们还有过在火车上蹭饭的经历。

和中国人一样，印度人坐火车会大包小包带很多行李，若是家庭出行，通常会带上自己做的食物。很多家庭甚至会带上一个外观像电饭锅一样的大家伙，那里面装的不是饭，而是自家煮的奶茶。

印度人嗜奶茶，一家人出行带上这么保温的一锅，就可以在路上一直喝。印度人还习惯晚吃饭，每天晚上十点多我们准备睡觉的时候，他们才拿出一家人的食物，咖喱、煎饼、炒饭、Samosa（一种很好吃的大号的炸饺子，多数时候里面是土豆咖喱之类的馅）……还好是在家里做好带出来，凉掉的食物不会散发出异味。

印度人也比较好客，吃东西的时候会问我们要不要吃一些，通常我们会婉拒。

但有一次我们在法乐迪，这个小镇的火车站不卖吃的，我当时饿得受不了，恰巧看到不远处有一家印度人正在吃饭，就对菜菜说：“你等着，我去弄点吃的。”

依据之前在旅途中对印度人好客性格的了解，我只需要很无耻地假装路过，顺便看他们一眼，他们马上就开口问：“嗨，要不要来尝一点？”然后掰下半块Samosa给我。

“好不好吃？”

“Very good！”我边吃边使劲点头称赞。

“那剩下这两个都给你吧。”那一家人把盘子里剩下的Samosa都给了我，我和菜菜就这样解决了一顿饭。

印度火车被人诟病的另一件事是行驶速度慢，其实真论行驶速度，是不慢的，慢是因为停站多，停站时间长。

和国内不一样，印度火车的列车员是不会推个车子过来卖泡面、盒饭、啤酒跟零食什么的，每到一个车站，会有很多小贩拎着篮子上来叫卖各种东西，有奶茶、水果和小吃等。

其中5卢比（大概7毛钱）一杯的奶茶特别受欢迎，小贩会取用一个一次性纸杯，放入一袋茶包，倒入滚烫的水，水里面加好了糖和奶粉。我们从一开始就爱上了火车上的奶茶，每次停站都要像印度人一样来上一杯，菜菜甚至有时会一次要上三杯。

这些小贩中，最有趣的属于点“提卡”的。信奉印度教的人会长期在额头上点一个红色的点，叫做“提卡”，代表一种祈福。要点提卡的人把小贩喊过来，小贩在篮子里用手指沾上红色的糊糊，往那人头上点一下，就可以收几个卢比。

一开始，我和菜菜只懂在火车上守株待兔，等着小贩带来我们想吃的东西，但后来发现每到一个大站，很多印度人会下车去逛，有些人甚至会跑到火车站外面去买些东西回来。

作为一个优秀的女朋友，菜菜有什么想吃的零食，当然不需要亲自下车去买，只需要动动嘴皮子，自有谢谢给她买上来。

和送上车的小贩比，站台上的东西更丰富，有咖喱配煎饼、煎蛋、炒饭、**Samosa**、现煮奶茶、咖啡、汽水、水果……虽说是给菜菜买吃的，但我每次总是自己先吃个不亦乐乎，等到火车缓缓开动了，才跑回车厢。

从法乐迪回德里时，中途路过斋普尔，我下去买东西时跑远了，火车开动时，我穿个人字拖拼命追，到火车开得比我跑得更快时，离我们的座位还隔了几节车厢。

慌乱中，我随便找了一节车厢抓住门上的铁杆跳上去，再慢慢摸回自己的车厢。回到座位时菜菜正东张西望地找我——她以为我落在火车站了！

★“孤单星球”说有蛋，就有了蛋

旅游指南书中的一个错误，成就了一个全印度最美味的煎蛋店。

在我们携带的Lonely Planet印度旅行指南中，介绍了焦特普尔的一家路边摊，名字就叫Omelette Shop（煎蛋店）。指南中介绍，这家煎蛋店每天最多可以卖出一千个煎蛋，煎蛋的老头已经干了三十年。

我们自然慕名而去。

煎蛋店位于焦特普尔色彩鲜艳的萨达尔巴扎北门，是一个在路边搭起的简易小摊点，有一个煎蛋的小炉子，旁边放着阵容强大的鸡蛋，有几堆摞得比人还高。炉子旁边还挂了一些香烟，前面摆着两条破烂的凳子。和这个简易小摊对应的，是店子顶上挂着的大大招牌，上书“Omelette Shop”（煎蛋店）“Highly Recommended by Lonely Planet”（“孤单星球”强烈推荐）字样。

到焦特普尔的第一天我们就找到了这家煎蛋店，除了一个老外，还有几个穿着纱丽的当地女人等在那里买煎蛋。在以素食为主的拉贾斯坦，鸡蛋是对素食要求没那么高的人补充蛋白质的主要来源。店主戴着眼镜，身穿长衫，是个颇有风度的老头。

老头的每份煎蛋包括两只鸡蛋和三片土司，鸡蛋里混入了切碎的洋葱和青椒，再撒入自己调的Masala香料，还没起锅，就可以闻到很浓的香味。煎蛋快熟时，老头往煎锅丢进三片吐司，稍微煎热便起锅，像做三明治一样把煎蛋夹在吐司里，再加入特调的酱。

淡季里来吃煎蛋的人不多，老头给先来的几个当地女人做好带走，再给我们做，边做边吹："我这是全印度最好吃的煎蛋，一会儿你试试就知道了。"

不过煎蛋吃起来真的很香，加上酱料，连我这个平时不吃洋葱的人也毫不介意地吃得一干二净。

"非常好吃，书上说你有三十年的经验，果然很厉害！"菜菜边吃边夸。

"来吧，给你看看顾客们的评价。"老头得意，拿起厚厚的两本笔记本给我们看，里面记录了世界各国游客吃完煎蛋后的评价，大家都盛赞这家店的煎蛋好吃。

"告诉你吧，其实我开这个店有一个故事，原来我不是做煎蛋的。"忽然老头有点故弄玄虚地说。

"书上不是说你已经做了三十年吗？"

"其实不是这样的，你看那边，我原来在那里开一间杂货铺的，兼营一个小餐馆，提供一些餐食，但不是做煎蛋的。"老头指着巴扎门口另一边的角落，那儿的确是有一个杂货铺。他继续说：

“现在那个杂货铺还是我们家的，我儿子在那边经营，煎蛋铺这里忙的时候，他就过来帮忙。”

我们只顾吃煎蛋，不时点点头示意听懂了，老头就继续说他煎蛋店的故事。

“后来不知道为什么，经常有些外国人拿着书，就是你们拿着的旅行指南书，来我的店里找煎蛋吃。我一开始莫名其妙，后来发现原来是那本书里介绍我的店提供美味的煎蛋，我想肯定是那个作者搞错了。不过，来我店里找煎蛋的外国人一直不断，于是我就决定在旁边开一家煎蛋店，自己也努力研究怎么把煎蛋做好，现在，我一天要卖出一千个煎蛋。”

我和菜菜对老头的故事啧啧称奇。总部位于澳洲的Lonely Planet公司，因为它的印度指南书中短短几十个字的描述错误，居然让印度大沙漠的一个小城里，多了一家闻名于全世界背包客的路边摊。

也许，这就是所谓美丽的错误吧。

临走时，我们在笔记本上也写下我们的留言，祝福这家神奇的煎蛋店。

走在旅途中，不可思议的事情总会和你不期而遇。一个被旅行指南书的错误催生出来的煎蛋摊，就像一千零一夜里故事中的故事，让你相信，神奇的事，有时就会这样发生。

如果没有谢谢，可能我这辈子都不会去印度。

恒河里飘满尸体，马路上屎尿横流，街上走的都是骗子，在五星饭店吃东西也会拉肚子……这就是我对印度先入为主的印象。

你问我这些印象是从哪里来的？

我也不知道啊！

别人都是这么说的吧……还有随便翻开一本旅游书，都会告诉你：在印度一定要喝瓶装水，不要吃印度的食物，不要相信任何一个印度人！

但谢谢是个很不信邪的人，他做了的决定八头牛都拉不回。他说印度是所有背包客都向往的国度，只要你去过一次，在这一生，你都会忍不住一次又一次重回那里。

既然他郑重承诺保证我的人身安全，一路上做牛做马令我住行无忧，吃坏东西拉肚子也绝不跟我抢厕所——那就相信他一次吧？

不过，就在上火车的那一刻我还恶狠狠地想：同志哥啊！要是我在印度不小心挂掉的话，在那之前，我一定会炒掉你啊！

就这样，我们在百年不遇的50℃高温下，踏上了印度的土地。

事实证明，我们对印度适应得有点出乎意料。饿极吃了路边摊，第二天发现自己居然还活着——胆子就这样大了起来，我们一路吃过去，爱上了印度的食物。

唯一让谢谢受不了的就是印度的高温，睡不着的晚上，他一次次地爬起来，冲进公共浴室冲凉。而我一次次地在没有空调的房间里睡得昏天黑地，让他羡慕嫉妒恨不已。

去印度，有一半是冲着泰姬陵。这座象征着至死不渝爱情的洁白建筑，她那倒映在湖水中的倩影，是乏善可陈的中学地理课本中，唯一浪漫惊艳的一页。

谢谢有写到，我们去泰姬陵的那一晚人品不好，天上没有月亮。还有十几个荷枪实弹的士兵拿着秒表倒数三十分钟，实在是没有任何浪漫色彩可言。

但是，我记得的是不同的泰姬陵。

我记得月光如水，淌过洁白大理石的每一丝缝隙；记得所有的一切都在暗中发光，记得时间流逝得异常缓慢，而你的神情异常温柔。

因为，这是你带我来到的世界，是你带我看到的美丽。

——菜菜

第四章

东南亚的跛脚狂欢

我们并不属于这里，只是在散步而已。

你永远不知道，何时会再与此地、**此人重遇。**

| 斯里兰卡 | 盖勒 | Any time is tea time |

⋆ 老奶奶的旅馆

误打误撞，我们闯入了种茶世家的豪宅。

我们的航班一早从南印度的金奈飞到斯里兰卡的首都科伦坡，为了方便询问接下来要去的缅甸和菲律宾的签证，我们就在科伦坡的使馆区找了一家旅馆。

说是旅馆，倒不如说是一户人家，它位于法国大使馆旁，高墙大院，门口一扇大铁门紧闭，没有任何照片。若不是万能的Lonely Planet，我们就算路过，也只会认为这是一栋大户人家的豪宅。

小心翼翼地按下门铃，开门的是一个皮肤黝黑的僧伽罗族中年人。僧伽罗族是斯里兰卡占主体的民族，剩下一小部分是在北方闹独立的泰米尔族。门里是一幢两层的宅邸，环境出乎意料的好。房子的主体是白色，进门后是一个小花园，与完全开放的客厅连为一体。客厅的另一侧又是一个小花园，花园的旁边还有一个敞开的厨房，设计十分独特。

“又有客人来了吗？”我们正参观着，从客厅边环形的旋转楼梯上走下来一位老奶奶。

我们赶紧上前问好。

“欢迎你们，我是这幢房子的主人。你们从哪个国家来？”老奶奶的英文说得十分标准，斯里兰卡被英国殖民了两百多年，英语是十分普及的。

“我们是中国人，刚从印度过来。”

“中国人，我家里除了自己住的，只有三间客房，现在楼上两间客房有一间已经有人住了，你们两个人就住楼下的大房间吧，跟我来。”老奶奶边说边走，我们拎着行李赶紧跟上。

我们的房间在客厅的另一边，与进来时的铁门呈对角，房间十分宽敞精致，我和菜菜对视了一眼，心照不宣地同时爱上了这个典雅又不失生气的房间。

“喜欢这个房间吗？”老奶奶微笑着说，打开房间里的一扇门，那里头又是一个约莫两米宽、三米多长的小房间。她接着介绍说：“那边是浴室，这是衣帽间，你看房间上面，上半部分是敞开的，外面也是小花园，这样风就可以吹进来。”

“哇，真是非常好的设计。”我们由衷地赞叹。

“这是我丈夫年轻时设计的，整幢房子所有的房间都对外敞开，有三个小花园，天台上也种有花草，这里离海不远，风吹进来，哪怕是夏天也很凉爽，唉，可惜他已经去世了。”

老奶奶介绍完，走去客厅，留下我们俩在房间里整理行囊。过一会儿，她又差那个黝黑的中年人送来解暑的冰饮，我们赶紧端着杯子出去答谢。

老奶奶坐在客厅的木椅子上问：“中国人，你们来斯里兰卡旅行，准备去什么地方？”

“努瓦拉埃利亚，还有南边的盖勒，其实我们主要是冲着茶园和海滩来的。”

“那个地方不念盖勒，你们外国的旅行者总是念错，在斯里兰卡是念高尔。你们要去的都是很漂亮的地方，一百多年前，我们家族是斯里兰卡第一批开办茶园的。”

呀，我们居然一不小心住进了种茶世家的豪宅！

“老奶奶，这是您年轻时的照片吗？”我猛一抬头，在墙上一堆照片里，看到了挂在一起的两张黑白的年轻女孩照片，女孩身穿纱丽，颈上戴着斯里兰卡盛产的宝石项链，非常美丽优雅。虽然老奶奶已经年迈，但我觉得她的眼神和照片中的女孩很像。

“其中一张是我，另一张是我女儿，年轻时的我和我女儿很像，现在我都八十几岁了，我女儿也老了。”老太太轻轻地抚摸着镶嵌在玻璃相框的每一张照片，跟我们介绍里面的每一个人。“这张是我和我丈夫，这是我女儿和她丈夫，这些是我女儿的孩子们。”

“他们不住在这里？”

“孩子们都移民去英国和澳大利亚了，以前我们在康提、高尔都有产业，现在只保留了这里。我舍不得离开，一个人留下来，请了那个男人和他老婆在这里照顾我。”

这幢房子里一定有着老奶奶和她丈夫的许多回忆，让她无法离弃。虽然老伴已经去世，但能在他亲手设计又共同度过一生的房子里了此余生，也算是执子之手，与子偕老了吧。

与我们讲了很久的老奶奶看上去有些疲惫了，菜菜连忙扶着她上楼梯，我紧随其后。

纯白的旋转楼梯蜿蜒而上，像房子里一个弧线优美的音符。我想设计这幢房子的男主人一定是热爱生活又浪漫，年轻时，他会牵着妻子的手无数次地从这里走上去，那时她身穿恬淡的纱丽，美丽优雅。

他去世前，也依然是和妻子相互搀扶着从这里走上去吧，就像现在菜菜搀扶着老奶奶那样。

⋆ Any time is tea time

有一种茶叶，叫做“情人的跳跃”。

我们离开了科伦坡，开始了我们的茶园之旅。在去往努瓦拉埃利亚的公路两旁，开始出现一片片的茶园。汽车环着山路不断上行，往上可以看到山腰上云雾弥漫，这里是斯里兰卡中部的山区，著名的锡兰红茶的产地。

在努瓦拉埃利亚一下车，我深深吸进一口气，感觉这个地方连空气中都弥漫着一股淡淡的茶香。

此时位于海边的科伦坡正值酷暑难耐的盛夏，努瓦拉埃利亚这个小镇却是十分清凉，我们来时只穿着短袖T恤，下车后感到一阵凉意，赶紧翻出一件薄外套披上。

小镇有一条长长的主街，日常所需全部集中在此售卖，周围还有一些小路，聚集着民居和旅馆。我们对比了两家旅馆后，选择了在小镇边缘高尔夫球场后面的一家颇有“大隐隐于市”之风的Kingfern旅馆。

在旅馆收拾好东西，我们又美美地发了一会儿呆，下午去茶园参观。

此地比较著名的一个大茶园有点远，于是我们先去镇外不远处一个不太有名的。到了那里被告知下午茶园里不采茶，因是周末，茶厂也不加工茶叶，但可以到茶厂里品茶。

品茶的地方也是三面落地玻璃窗，周围是青翠的茶园，斯里兰卡人十分喜欢贴近自然，这种敞开式的房屋设计随处可见。茶厂的人轮换着给我们品尝了几种红茶，大体上可按口味分为三大类。一类口感非常浓烈，直接喝下去是苦涩的，这种茶适合用印度人的方法煮成香浓奶茶；一类茶味清香，适合像中国人一样作纯茶清饮；另一类取其中间。

茶厂的人见我喜欢清茶，便着意介绍："这种清淡的茶只有在斯里兰卡高山上出产，是我们茶厂最主要的一种产品。它不是在茶厂附近的茶园采摘的，你看，那一边，是斯里兰卡最高的山峰，山脚下有个瀑布，名字叫'情人的跳跃'（Lover's Leap），它就种植在那个瀑布附近，所以也叫'情人的跳跃'。"

怪不得进来的时候，看到这里贴了许多海报，上面大多都写着"情人的跳跃"，原来是主打产品。这种茶价格也非常低廉（一斤二十多块钱），我们于是买了两斤。接下来半年的旅行中，我们每天喝得最多的，就是这"情人的跳跃"；另外，我们还买了一些味道浓烈的茶叶，在路上菜菜会用它煮奶茶给我喝。

"请问明天会有采茶的吗？"我们一直希望看到茶园中采茶劳作的场面，临走时又问了产茶的人。

"有的，请明天上午9点钟来吧。"

晚上，我和菜菜两人欢欢喜喜地回到旅馆，跟老板讨了热水，泡上两杯"情人的跳跃"，再配上在镇上烘焙店买的蛋糕，享受了一顿。

不知道是因为高山牧场里出产高品质的奶制品原料，还是英国人留下来的手艺好，斯里兰卡大多数烘焙店的出品都十分美味。

和印度人习惯加入很多糖和奶煮奶茶不同，斯里兰卡在英国人的影响下，喝茶更为讲究。斯里兰卡有许多烘焙店同时也是茶馆，进去点上一壶红茶，配一壶牛奶，糖自取，按照自己的口味调制。再另外叫上几种蛋糕，便可成就一段惬意非常的“茶时间”。

第二天上午，我们去头天去过的茶厂观看采茶工的劳作，下午又去了那个位于较远山谷里的著名茶厂。这家茶厂建于1841年，是斯里兰卡现存最古老的茶厂，工作人员带我们到车间里，为我们讲解了斯里兰卡红茶每一步的生产过程。茶园的山谷边还有一幢小屋，提供免费的下午茶，雾气时而从山谷中涌上来，时而退下，午后时光是如此惬意。

离开努瓦拉埃利亚，我们到了海边小镇乌瓦拉特纳，入住一家“阿妈的旅馆”。那是一幢海滩边两层的小楼，旁边有一片旅馆老板自家的椰林，清晨起来我们和主人家、请来的工人一起去摘椰子。工人爬上去砍椰子，我们在下面等他砍完，一个个堆起来，再用小推车推回去。回到旅馆以后，老板从一堆椰子中挑出最好的，用砍刀砍一个洞递给我们，大家就着朝阳和清晨的海风，一人一个喝着新鲜的椰子汁。

也许是没有旅游开发带来的铜臭味，也许是斯里兰卡人本来就懂得享受生活，就连这里的旅馆，都经营得有滋有味，常常让旅人流连忘返。

后来在南方海边的小城盖勒闲逛时，我们看到有一家茶馆的门口，招牌做成一个茶壶的形状，上面只写了一句话：Any time is tea time.

菜菜笑着总结："我们在斯里兰卡的旅程，用这一句话就可说尽。"

★ 辗转四国，看完2010世界杯

人生中的又一个四年，在异国的街道上悄悄过去。

2006年世界杯开打时，正是我大学刚毕业的时候。于是纠集了几个还在学校的同学一起到校外包了个日租房，半夜扛几箱啤酒上去，通宵观战。那时大学城里到处是鬼哭狼嚎，大家借着球赛，尽情发泄过剩的精力。

那届世界杯结束后，我告别了青涩的学生时代。

四年一个轮回，2010年世界杯又开打，此时的我正漂泊在印度。庆幸的是，虽然经过了四年朝九晚五循规蹈矩的生活，我摸摸胸口，觉得里头还存有一丝为梦想热泪盈眶的激情，自然也不会错过这四年一次的盛会。

在印度，我拉着菜菜四处找可以看世界杯的地方，但是在印度人眼里，世界上只有两类运动，一是板球，二是其他运动，在印度总共就没几个人看世界杯。

就这样，我错过了世界杯的第一轮小组赛。

在斯里兰卡的努瓦拉埃利亚，我们终于一起看了第一场世界杯。Kingfern旅馆的客厅有一台电视，晚上大家烤着火喝着茶，听完老板演奏鼓乐，开赛时间到了就一起看球，甚是文雅。

到了马来西亚后，我们去了北部的停泊岛，比起附近那个修建了豪华度假酒店、游客多得像下饺子一样的热浪岛，这个没那么著名的海岛只有一些背包客光临，显得很宁静。我们旅馆的餐厅里有一台电视，晚上会放世界杯，观众只有我们俩和一对英国小情侣，再加上几个伙计，这球也看得波澜不惊。

在斯里兰卡时，我的脚掌被蚊子叮了一下，挠痒时抓破了一点皮，菜菜剪脚趾甲时，剪破了一点皮，流了点血，不过我们都没有放在心上。不想到了停泊岛后，两人的伤口都开始感染发炎，肿了起来，又很快蔓延到整个脚掌，肿得看不见血管，走路也不能着力，只能一瘸一拐。东南亚的夏天就是这么毒。

菜菜回上海治疗，顺便再带她爸妈去泰国玩几天，我不想回去，就在吉隆坡机场找了个诊所拿了些消炎药，再让医生包扎了一下，准备一个人瘸着去越南。

我们约好十多天后在曼谷见面。

我晚上在吉隆坡机场送菜菜飞回上海，就直接在机场过夜。碰巧世界杯期间索尼和三星在机场做平板电视宣传，候机楼的一个角落里，左边索尼放一个超大的电视，右边三星用许多小电视拼成一个更大的电视，都在放世界杯。

半夜里机场也没几个人了，碰巧电视前有一块搞完活动还没撤走的地毯，我就用锁链把背包和旁边的栏杆锁在一起，拿出小睡袋，躺在地毯上看起了球。

结果那天，先是亚洲的独苗韩国被乌拉圭人送回家吃泡菜，接着我喜欢的葡萄牙在伊比利亚半岛内战中被西班牙人干掉。真是郁闷的一晚。

第二天一早飞到西贡，菜菜告诉我西贡有一个叫范五老街的背包客聚集地，于是我穿一条短裤和一双人字拖，一瘸一拐走出机场，找去范五老街的车。

这几个月我已经晒得比越南人还越南人了，但背后的大包还是出卖了我的游客身份，机场的车租车司机毫不客气地开出天价：20美金！

我靠，当我是水鱼啊！

继续一瘸一拐地四下找车，很快一位做导游的可爱越南姑娘带我坐上了去范五老街的巴士，只要3000越南盾，也就是0.15美金。

到了范五老街，我花4美金跟路边兜售盗版书的大妈买了本“孤单星球”越南旅行指南。虽然心里觉得很对不起托尼和莫琳夫妇，但初到贵境连一张地图都没有，唯有先买一本救急。

在路边打听了几家旅馆，都要10美金，我钻进小巷子里找了家5美金的。瘸着走了那么久，我累得一进房就躺上床，翻开盗版书看了一个小时就确定好接下来一周的路线：西贡—岘港—会安—大叻—西贡。

我打算白天逛西贡，晚上在范五老街找个露天酒吧看球。

“嗨，漂亮的姑娘，需要吗？”夜幕降临，我刚走上街，很快有人凑过来搭话。

“什么？”我一时间还没反应过来。

“漂亮的越南姑娘，非常便宜。”那人凑过来又说了一遍。我靠，这些拉皮条的连我这个瘸子也不放过，觉得我单身就一定寂寞是吧。

“不用了，谢谢。”

送走一个，又来一个，出去溜达一圈遇到六个拉皮条的。算了，我还是乖乖地回房间看球吧。

接下来的行程，都是白天看景，晚上看球。三天后在会安，1/4决赛中荷兰干掉了巴西，又过两天在大叻，西班牙干掉了巴拉圭。

离开越南那天的凌晨，在西贡，我又看到荷兰人把乌拉圭人送回了老家。

我还在越南时，菜菜已经到了曼谷，我去曼谷时，菜菜又和她爸妈去了南边的海滩。在曼谷的三天里，半决赛中西班牙干掉了德国。决赛就是西班牙对荷兰了。

和菜菜在曼谷碰头时，是世界杯决赛的前一天。

就这样，在斯里兰卡、马来西亚、越南、泰国四个国家看了世界杯小组赛和淘汰赛之后，我们终于可以一起在曼谷的考山路看世界杯的决赛。

泰国，是几代西方背包客经历穿越欧亚大陆的苦难，到达东南亚后享乐的地方。考山路是全世界最大的背包客聚集区，也是前往其他各地的中转中心，现在已经发展成包括附近好几条街道的区域。

这里聚集了无数的旅馆和酒吧，提供廉价的住宿、饮食、交通、旅行代理、啤酒、毒品和性，路边随处可见按摩、货币兑换、办假证、学泰拳、人妖、各种变态。比起这里的夜夜笙歌，同为背包客聚集区的加德满都泰米尔区只能算是小巫见大巫。

决赛的时间是在深夜，但考山路今夜无人入眠，所有人都涌上了街头。考山路街口，横跨着马路拉起了一块巨大的电影屏幕，马路被站着看球的球迷堵得水泄不通。每个酒吧都在门口放上了一台大电视，露天的座位早已爆满，到处都围满站着的球迷，我和菜菜也挤在人群中。

决赛是西班牙对荷兰，但不知为何球迷一边倒，穿了球衣的九成是支持荷兰的，考山路上一片橙色。有些酒吧还挂出“荷兰屋”的横幅，只准荷兰球迷进入。因为西班牙干掉了葡萄牙，敌人的敌人就是朋友，我自然也是站在荷兰这一边。

虽然双方都不给力，上半场踢得非常沉闷，却丝毫不阻碍荷兰球迷又唱又喊。中场休息时我拿着相机出去拍照，对相机做鬼脸的、围在一起要求合影的荷兰球迷非常活跃，淹没在橙色海洋中的西班牙球迷只好默默地在角落里待着。

中场休息结束，我打算回酒吧，忽然一个转身，发现前两天在路边做足底按摩时见到的“美女”也来为世界杯捧场。

那是一个身高一米八几、身材魁梧的中年白人，生理雄性，心理雌性。前两天看到“她”时，“她”身穿一件粉红色低胸无袖连衣裙，留着一个平头，戴着耳环，低胸连衣裙领口露出浓密的胸毛，手臂、小腿也都是毛茸茸的，手里拎着一个小包，扭着粗壮的蛮腰和屁股走过。

今天，“美女”换了一身更紧身的粉色碎花连衣裙，胸口开得更低，除了浓密的胸毛还露出两点。一望之下，我惊得落荒而逃，也忘记按下快门给“她”留下倩影。

下半场踢得依旧沉闷，但加时赛西班牙人攻入一球后，周围的荷兰球迷都不淡定了。我赶紧拉着菜菜先离开，这几万个手抄着酒瓶的荷兰球迷，万一结束后闹起事来可不好办。

我们逃到离旅馆不远处一家人少点的露天酒吧继续看完比赛，最终西班牙人捧走了大力神杯。曲终人散已是半夜，球迷们唏嘘着走回各自的旅馆。

岁月流转无声，我还根本来不及感慨，人生中的又一个四年，就这样在异国的街道上悄悄过去。夜晚即将结束的光线令人伤感，幸亏我还能拉着菜菜的手，这种实实在在的感觉，抵挡住了身在异乡那种虚无感的冲击。我们并不属于这里，或许也不属于任何一种凝固的生活，但好在我们拥有对方，能开口说爱，这也是一种存在的证明。

弯过街角，一个荷兰女球迷正在轻声哭泣。我和菜菜静静对视了一眼，在异乡的夜色里，向着下一个目标走去。

菜菜的爱与路

当我和谢谢离开印巴边境往南飞的时候，其实并不知道接下来要去哪里。

我们在途中改变主意，在印巴边境时停止西行，转而往南。

在路上，我们听说斯里兰卡很不错。接下来我们又有如神助般，订到了去那里的便宜机票。

既然老天也在为我们的随心所欲开路——那么，就走吧！

计划外的斯里兰卡，是我们旅途中意外的小憩。那是一个缓慢而优雅的国度，高山茶园的清新，无人海滩的明媚，殖民小镇的慵懒，让我们两个灰头土脸的背包客，不小心做了一次神仙眷属。

离开斯里兰卡，我们在飞往马来西亚热浪岛的航班上，并不知道接下去的意外会带我们去到停泊岛，误打误撞，又发现了一个背包客的天堂。

雨季到菲律宾有一些冒险，却让我们邂逅了可遇不可求的壮美日落。

其实在遇见谢谢之前，我已经独自走过了东南亚的许多国家。但是这一段旅程，并没有因为重复而显得乏味，而是难得的安闲适意，像一段被祝福的、闪闪发亮的时光。

我们在曼谷的街头酒吧里看了世界杯的决赛，结伴走回酒店的路上，恍然间，人生若梦。

——菜菜

第五章

巴基斯坦：硝烟下的三杯茶

如果一个人独自走过了这些地方，
你可以放心地跟他**走遍整个世界**。

| 巴基斯坦 | 巴扎里 | 有天使样笑容的孩子 |

★一个人滚去巴基斯坦

如果流浪是你的天赋，那么你一定是我最美的追逐。

菜菜8月去美国上学，我一个人继续走，先去了一趟内蒙古，再到北京办理巴基斯坦签证，9月坐火车到了青海的西宁。

没有菜菜相伴，旅途中多了些孤单的感觉。我的计划，是从西宁一路搭便车，沿青藏公路到拉萨，经新藏公路穿过阿里地区，到新疆的日喀则，再经由喀喇昆仑公路，进入巴基斯坦北部的克什米尔地区，然后一路往西，签证能签到哪儿，就去哪儿。

从青藏公路到拉萨之后，按原计划，我准备继续坐车走完2800多公里的新藏公路，再由喀喇昆仑公路进入巴基斯坦北部。

不幸的是，我在拉萨感冒了。因为拉萨的白天阳光充足，我总是穿一件T恤、一条大裤衩和一双人字拖就出去逛，但太阳一下山，高原上的气温就急剧下降，我就得回旅馆添衣服；有一天接连和几拨朋友聚会，没来得及添衣，玩到半夜回去，加上喝多了酒，第二天起来就开始感冒发烧。

在平原上，感冒发烧是小事，但在高原上，感冒发烧可是致命的。过了两天，我的感冒还没好，身体开始变得虚弱，连爬楼梯也开始喘气。为了新藏线之行，我又想硬撑下去。于是我到药店买了两盒葡萄糖注射剂为路上补充能量，然后就去了阿里地区驻拉萨办事处，交了第二天到狮泉河班车车票的押金，回到旅馆。

上网和在美国的菜菜视频，告诉她我要坚持去阿里。菜菜看到我脸色很差，在那边就哭了起来："阿里那边海拔那么高，几百公里没个人，万一你在那里有事怎么办啊？你现在不是一个人了，做决定也要为我想想。"

我心里一软，就不敢去冒这个险，和菜菜商量了一下，决定绕道低海拔的尼泊尔、印度，再进入巴基斯坦。

次日上午我去尼泊尔驻拉萨领事馆申请签证，第二天下午背着行李过去。一领到签证，就坐上领事馆外面拉客的依维柯客车，通宵赶往中尼边境的小镇樟木，第三天，我回到了阔别四个多月的加德满都。

我在加德满都一共待了十天，花了100美金，申请到了印度签证，也见识了尼泊尔家家户户杀羊祭卡利女神，过一年中最大的节日达善节。离开加德满都，我坐了十八个小时夜班车，从东部的卡卡比塔关口进入印度。

在印度又花了120美金旅行了半个月，到了世界著名的印度东北部大吉岭红茶产地，到了佛祖悟道之地菩提伽耶和玄奘印度取经的那烂陀寺遗址，中途突然嘴馋，惦记起旧德里Karims餐馆美味的咖喱和馕，于是在巴特那火车站退掉直接到边境阿姆利则的火车票，和工作人员磨了两个多小时，搞到一张站长临时特批的车票，到1000公里外的德里，只去Karims餐馆吃了一顿饭。接下来又拐去了阿姆利则，在锡克教圣地金庙赖了三天，那里住宿不用钱，还管饭，闲暇时就去共产主义大食堂帮忙剥蒜头，或者去印巴边境看两国在降旗仪式上互殴的场面。

就这样绕了一大圈，在一个下午，我来到印巴边境海关，却被告知："中国人不可以从这个海关直接通过，只能飞过去，或者坐一周两班从阿姆利则发往巴基斯坦拉合尔的火车过去。"

"这不是歧视中国人嘛！"我发起狠来赖在海关，"你不让我过，我就不走！"

没想到这个官员更狠："再不滚，我就在你护照上留下个不良记录。"

没办法，我灰溜溜地从海关滚了出来。当天夜里，投宿在海关旁边的一个小村庄。

第二天上午9点，我到村边的火车站通关、候车，中午12点发车。这是一辆破破烂烂的巴基斯坦火车，我所在的车厢，就只有我一个乘客。

我索性跷起脚来，用手机放起音乐，第一首，恰是梁静茹的《丝路》：

如果流浪是你的天赋

那么你一定是我最美的追逐

如果爱情是你的游牧

拥有过是不是该满足

谁带我踏上孤独的丝路

追逐你的脚步……

火车开得很缓慢，到了巴基斯坦海关，又要下车检查。

从印巴边境到拉合尔只有三十多公里，到站时却已是傍晚6点多。

我找了间旅馆住下来，跟菜菜报平安：我终于到了巴基斯坦。

★ 神奇老太法瑞迪带我去军营睡了一夜

对这个疯狂的老太太，我除了膜拜，无话可说。

拉合尔是巴基斯坦第二大城市，印度莫卧儿王朝的夏都。但这里景观不多，主要有拉合尔城堡、大清真寺、保存了犍陀罗艺术的博物馆。

刚到拉合尔时，我住在一家在背包客中比较著名的廉价旅馆。七人间的床位，价格是200巴基斯坦卢比一天（约人民币15块钱）。

其实，我到拉合尔最主要的目的是拿伊朗签证。在印度时我已经在伊朗外交部网站上申请了电子签证，请伊朗外交部把批复发到伊朗驻拉合尔的领事馆，现在只需凭外交部的批复，到伊朗驻拉合尔领事馆，在护照上贴上签证就可以。

原计划只在拉合尔呆两天，谁知天有不测风云，我到的第二天去了伊朗领事馆，却被告知当天是“主麻日”，使馆放假，只能等下周一再去。

心情低落地回到了旅馆，一进门，又听见有人在用英文吵架。

“明明天台上有个小锅炉，我上次来的时候就能用，为什么现在跟我们说没有热水？”这是个女人的声音，听上去凶巴巴的。

“那个已经坏了！”

“什么坏了，只是你太懒，不想上去打开而已！”

我一听到吵架就头疼，但关系到自己待会能不能洗上热水澡，还是驻足观战了起来。对战的双方，一边是客栈的伙计，一边是个陌生的老太太，满头白发，看上去精力充沛，一副不达目的誓不罢休的模样。

不过这场吵架没有什么结果，伙计一口咬定热水器是坏了，一副死猪不怕开水烫的架势。

看出来今天洗热水澡是没什么指望了！我踩着人字拖，踢踢踏踏地上了楼。

不多一会儿，居然有人敲我的房门，一打开门，刚才那吵架的老太太的脸一下凑到了面前来。

“小伙子，这里不好，那个伙计不诚实，我带你换一家旅馆。”

我就这样认识了神奇老太法瑞迪。

上半年，我和菜菜一起旅行时，因为舍不得她吃苦，所以一般都找准一家较好的旅馆，住定了就不再换。但自己一个人出门，总想着花越少的钱就能走越远，因此，任何一个省钱的机会，我都不会放过。

再加上奔波了一天，实在想洗个热水澡，因此我没有太多犹豫，就打好背包，跟着法瑞迪一起出了门。

法瑞迪要带我去的地方是一家叫做“拉合尔背包客栈”（Lahore Backpacker）的旅馆。

“我到过好几次巴基斯坦，都住在刚才那家旅馆，认识那里原来的伙计，他是个很好的人。刚才我在街上遇到他了，他说老板克扣他的工钱，所以他自己在附近开了另外一家旅馆，我觉得应该不错，就带你过去。”法瑞迪说。

于是我和她穿街走巷，来到了“拉合尔背包客栈”。

这家旅馆果然是刚开张不久，连牌子都是新挂上。和原来的旅馆相比，这里的价格差不多，但所有的设施都更新，多人间里也配有电视，最重要的是，有热水供应。

在外旅行多时，我发现西方的背包客对于有没有供应热水并不是特别在意，而亚洲人就一定要洗热水澡，不然身体受不了。这大概也是东西方的差异之一？

和我们同时到这个旅馆的，还有一个叫东伟的台湾人。因为旅游业不景气，拉合尔这几年都没有新开的背包旅馆，而我、东伟、法瑞迪三个人，就这样误打误撞地成为了拉合尔这间新的背包客栈的三元老。

在异乡遇见中国人，总是分外亲切，我和东伟很快就成为了好友。后来我还和他还一起去了奎达，在他的朋友哈贾先生的帮助下才买到了穿越卑路支斯坦的车票，这是后话，按下不表。

话说在拉合尔背包客栈的第一晚，我们三元老洗过热水澡，坐在天台上喝茶聊天。法瑞迪忽然问我，接下来想去哪里旅行。

“我正在等伊朗签证，接下来去伊朗。其实我很想去土耳其，但听说中国背包客在伊朗几乎不可能拿到土耳其签证，很可惜。”我说。

“为什么？我从来没听说有人从伊朗去不了土耳其。”法瑞迪很惊讶地问。

我只能耸耸肩。

“别担心，小伙子，正好我的护照页用完了，过两天要去伊斯兰堡的土耳其大使馆换新护照，那里的签证官跟我很熟，我让他给你签证。”法瑞迪看上去信心满满。

“好啊，我星期一要去伊朗领事馆，我们星期二去伊斯兰堡怎么样？”

虽然我不是很相信这位貌不惊人的老太太真的能帮我拿到土耳其签证，但只要有一线希望，总要试试。

下个周一，我和法瑞迪如约一起去了伊斯兰堡。从拉合尔到伊斯兰堡坐巴士要五六个小时，我们到达时已是晚上八点，是必须在此地过夜了。

法瑞迪却并不急着找旅馆。我感觉，到了伊斯兰堡，她就好像回到了家一样，带着我坐小巴，走街串巷，到一个夜市，轻车熟路地找到一家烧烤摊。

老板看到她，立刻像老朋友一样上来招呼："嗨，法瑞迪，你很久没来了。"

法瑞迪是一个烟鬼，坐下后先点着一根烟，再给老板回话："前段时间待在卡拉奇呢，刚回来。"

我们要了几串烤肉，又叫了一碟饭分着吃。可惜伊斯兰法律不允许喝酒，不然的话，就着烤串喝点啤酒，倒有几分家乡的韵味。

咬下一串肉，我问法瑞迪："老板跟你很熟啊，以前你经常来吗？"

"我是在伊斯兰堡一所大学教过宗教学的，为了研究苏菲教派，在伊斯兰堡待过几年。"法瑞迪边吃边说。

"苏菲教？你研究苏菲教？"我惊得一块肉卡在喉咙里。苏菲教是伊斯兰教里的一个教派，相信人通过音乐可以与神交流，拉合尔著名的"苏菲之夜"，就是苏菲教徒的集会。这个神秘的教派对旅行者一直很有吸引力，但外人不得其门而入。

神神道道的老太太法瑞迪居然是研究苏菲教派的，我不禁对她刮目相看。

吃完晚餐，法瑞迪跟烧烤店老板讨了一叠报纸，带我越过马路，穿过了一片树林。

我看这路越走越荒凉，实在不像是有游客和旅馆的样子，难道我们今晚就要用报纸铺地，露宿街头了不成？

实在忍不住了，便出声问：“法瑞迪，我们今晚住哪里？”

“住军队的营地里啊。”法瑞迪健步如飞地走在前面。

“为什么住营地，伊斯兰堡没有旅馆吗？”我吃了一惊。

“不用住旅馆。大学还在伊斯兰堡分给我宿舍呢，我不喜欢住那里，每次来伊斯兰堡，我都住在军营。”

“为什么？”

“学校把我和一个德国老男人分在一套房子里，一个无聊透顶的德国老男人，我见到他就不高兴。我更乐意住在军营里，这个营地可以接待客人，一个晚上只要50卢比（约人民币3块多）。”

伊斯兰堡位于北部山区，夜晚已经有些冷了。我虽然心里犯嘀咕，但已经走到这里，只能紧跟着法瑞迪。我们边说边走，不多时，便来到了一扇大铁闸门前。

看来这就是我们今晚要住的营地了。

法瑞迪敲开铁门，跟卫兵说了几句，他就带了我们进去。里面也是一片小树林，中间有一条路穿过，路的一边是几幢小平房和几顶帐篷。

我们没走几步，对面就有一束很刺眼的手电筒光照过来，隐约见是几个巡逻的士兵。

对方喝过来："喂，干吗的？"

"我是法瑞迪，今晚我们住这。"法瑞迪喊回去。

听到她的名字，就有一个人小跑过来，把跟我们进来的门卫打发回去站岗，和法瑞迪边聊边带我们进去。只是他们是用乌尔都语讲话，我完全听不懂。

看来这家营地的生意不是很好，当晚接待的客人只有我们俩。

我们被安排在一间小平房里。住旅馆要男女分开，在军营里倒不用。小平房约莫两米多宽，四米长，用砖头随意砌起来，里面空荡荡的什么都没有。

我们把背包甩在地上，法瑞迪这个老江湖随身带了一张可折叠的地垫，她先把跟烧烤店老板讨的报纸在脏兮兮的地上铺一层，再铺上地垫，加上睡袋，基本就隔绝了地面的寒气。

而我只有一个薄薄的夏天小睡袋，只能挖掘其他物品的潜能了。

法瑞迪分给我一些报纸铺地，我把背包罩卸下来，拿出雨衣，和报纸一起拼成一片席，再把我在尼泊尔买的一条薄毛毯铺上去，然后放上睡袋，我们俩今晚的房间，就算完成了。

铺完床，该去洗漱了。洗漱的地方在几十米外一个公共厕所，虽然很脏，却令人惊喜地有供应热水。

洗漱完回来，看到我们的小屋门边多了一个士兵。小屋边有一个用砖块和沙包堆起来的小堡垒，此时上面多了一挺大机关枪，估计是刚放上去的。

我赶紧上前搭话："爱莎兰瓦莱贡。"

对方回了一声"瓦莱贡沙拉姆"。

"你在这里做什么？"

"我值班，今晚，12点，明天，8点。"士兵的英文不太好，用单词断断续续地回答。

看他那把大机关枪就架在我们门口，我赶紧掏出一根烟递过去，这是走青藏线用剩的，同志们辛苦了！

回屋里告诉法瑞迪士兵站岗的事，她边整理东西边说："每天晚上都有人值班的，这里很安全。"

"你是不是来这里很多次了？"看她一切了然的样子，我忍不住又问她。

"很多年前就常来，这里很多人都认识我咯。"她继续整理东西，停了一会儿好像想起什么事，说："对了，前几年，还是XXXX当总统的时候，有一次我来这里，晚上睡觉时，整晚都有枪声，第二天这里的人告诉我，他们昨晚在这边杀了XX个人。早上出去的时候，地上用沙子盖好，一点血迹都看不到了。"

旅行者不谈政治，我立即中止这个话题，再问她："法瑞迪，你不是土耳其人吗？怎么老待在巴基斯坦？"

“其实我原来是法国人，后来才成为土耳其人。我在土耳其中部的山区买了一栋房子，来，给你看看我家的照片。”

法瑞迪停下手中的活，从包里翻出几张照片。那是一个美丽的山村，法瑞迪的房子是一栋石头砌起来的大屋，我赞叹了一声：“太美了。”

“最近我不回去，你下次来土耳其时如果我在的话，就住我家吧。”法瑞迪收起照片，又说：“我研究伊斯兰教，就把我的国籍换成土耳其；我爸爸喜欢海滩，他在巴西买了一个小岛，就住在巴西了。”

“那你为什么一直在巴基斯坦？”

“为了研究这边的宗教啊，明天我们去土耳其使馆，我换本新护照，然后我要去延期签证，接下来就要去南方。”

“去卡拉奇？”

“不是，去沙克尔，然后再去莫亨焦达罗，那边都是好地方。”沙克尔我不知道是什么地方，但知道莫亨焦达罗是整个南亚地区的印度文明发源地。

法瑞迪继续说：“南方的木尔坦也是个好地方，你从如果要去伊朗，就顺便去一趟木尔坦吧。”

“好的，你是一直在巴基斯坦吗？”

“给你看看我的护照吧。”法瑞迪又翻出她那本用得已经很残的护照，说，“你看，巴基斯坦、巴基斯坦、伊朗、阿富汗……”

“你还去过阿富汗？”我跳起来问她。

“去过好几次啊。前段时间又去了，待了两个月。”法瑞迪看了我一眼，好像对我的大惊小怪感到不解。

“怎么样？那边危险不？你去了什么地方？喀布尔？坎大哈？”

喀布尔是阿富汗首都，坎大哈是南部重镇，塔利班的老巢。我听到法瑞迪居然去过这些地方，就如打了鸡血般的兴奋了起来。

“哪都去了，坎大哈也当然去啦。还好，不算危险。”法瑞迪说得轻描淡写。

“你、你、你……”我当场石化，除了膜拜这个疯狂的老太，没别的话说。

第二天，法瑞迪如约带我去伊斯兰堡的土耳其使馆试办签证，还把领事馆的签证官沙辛揪了出来。只是我的签证，当真成了这位无所不能的神奇老太的滑铁卢。

我们在伊斯兰堡分别。我回到拉合尔，打算接下来穿越卑路支斯坦去伊朗；而法瑞迪就留在伊斯兰堡等她的新护照。

后来我没有再见过法瑞迪，但经常回想起那在军营中的一夜，还有她盖满了章的破旧护照。在这个老太太的身上，似乎有无穷的活力，她可以毫不在乎地在枪声中酣睡，也可以孤身一人踏遍战火纷飞的阿富汗。我自问没有她的那份洒脱，也经常想：一个人要怎样疯狂，才可以坦然地把异国当成故乡？

我和菜菜刚开始旅行的时候，只是为了圆一个少时的梦想，并没有想过自己会这么久地停留在路上。

在将要离开拉合尔的那天晚上，我上网给菜菜留了句言：我想你了。也很想家。

★ 夜半坟场里的“苏菲之舞”

尘归尘，土归土，有怪莫怪，无知不怪……

我没能拿到土耳其签证，灰溜溜地从伊斯兰堡回到拉合尔背包客栈，旅馆里唯二的旅客东伟和韩国姑娘李玹定却没心没肺地欢呼了起来。

“你们就这么舍不得我啊？”我摸不着头脑，不知道应该感动还是生气。

“不是啊，是老板要带我们去看‘苏菲之夜’，在一个坟地里，多一个人去壮壮胆总是好的嘛！”李玹定笑眯眯地说。

原来，我不在的时间里，旅馆的老板沙贾同意带他们去看“苏菲之夜”。

“这个要钱吗？”秉着穷游儿的省钱宗旨，我谨慎地问。

“当然不要，这是宗教诶，宗教可是免费的！”

免费去看“苏菲之夜”？还有这种好事！我沮丧的心情顿时一扫而空，也跟着东伟和李玹定眉开眼笑起来。

第二天上午，拉合尔背包客栈来了新客人——日本人悠史。

悠史在巴基斯坦的背包客里很出名，他从2000年开始来南亚旅行，2002年美军打下阿富汗不久就去了阿富汗。因为长期待在南亚，他可以熟练地讲印度语的印地语、巴基斯坦的乌尔都语。在巴基斯坦时，他总是穿着一身整齐的席尔瓦卡米兹（巴基斯坦传统服饰，下身是宽大的裤子，上身套进低垂到膝盖甚至小腿的长袍），再加上肩膀上搭着的一条毛巾，垂到腰间的长发，若不是他矮小的身形和东亚人的脸孔，看上去活脱脱就是一名蓄发的苏菲教徒。

悠史和沙贾也是老朋友，还在北部的罕萨山谷遇到过东伟。这几个人一碰头，便坐下来聊别后的行程。

沙贾说：“今晚我要带他们几个去见识一下苏菲之夜。”说完便伸手圈了一下我和李玹定。

悠史接口道：“我和苏菲之夜的鼓手很熟，正好很久没见了，我跟你们一起去。”

悠史的参与，让我们这趟原本就神秘的行程，更多了一份神秘的意味。

苏菲之夜是晚上11点开始，我们便在10点左右出发。

在这之前，我对苏菲派这个伊斯兰教神秘教派的“神秘”两个字已经听过很多遍了，但苏菲之夜的地点之“神秘”，还是把我们吓了一跳。

那是拉合尔市郊的一个坟场。我跟沙贾的摩托车到达时，悠史、东伟他们已经等在那里，李玹定包好了头，她是今晚唯一的女性。

此时已是夜晚11点，我们小心翼翼穿过这片墓地，沙贾和悠史走在前面，我跟在后面。穿越墓地对于我来说的确是全新的考验！我们客家人对鬼神还是很敬畏的，一路上，我可笑地念着小时候大人教我的咒语：“尘归尘、土归土，有怪莫怪、无知不怪……”也不知道巴基斯坦的鬼神们能不能听懂。

很快，我们就到了坟场的中心。

坟场的中心有座小屋，屋前有一小块空地，空地的四周也都是墓碑。苏菲之夜就要在这里举行。

此时空地里已经聚集几十名年轻人，大家围着两位鼓手——他们是苏菲之夜的主角。

悠史和他们很熟络，一见面就拥抱问安，我们这些人就把右手放在左边的胸前，身体微屈，道一声“爱莎兰瓦莱贡”。

悠史介绍，这两位鼓手是两兄弟，哥哥还是一名聋哑人，却敲得一手好鼓，曾经去过二十七个国家表演。

沙贾又向我们介绍了两名拉合尔著名的苏菲舞者，一位一袭黑衣，一位全身红衫。红黑双煞，倒是和坟场的气氛很衬。

两位鼓手屈下身，用手触碰两个大鼓，表示敬意，然后把大鼓挂在身前，两只手各拿一根问号形状的鼓槌，以圆弧那一段击鼓，一通鼓响，苏菲之夜开始。

两位苏菲舞者先进入空地随鼓声起舞，周围教徒可以随时加入，先上前屈身分别触碰两个大鼓，然后在以手触地，表示敬意后加入。

跳苏菲舞的人开始踏着舞步，绕着圈走，随着鼓声越来越大，越来越急，舞者的步伐也越来越快，紧接着，有些舞者开始像吃了摇头丸一样狂甩头，有些双手水平向两侧举起，整个人像陀螺一样，飞速旋转起来。

苏菲教派认为音乐是人的灵魂与神接洽的媒介，通过音乐人可与神交流。而苏菲派的舞蹈则是通过不停地旋转使自己在晕眩中得到升华。

我盯着那两位飞速旋转的舞者，感觉自己看得都晕了，他们还在不停地转。我拿出相机，想拍了照片跟菜菜分享，过后才发现，自己拍下的只是一团团模糊的影子。

舞者们一边旋转，一边跟随鼓手的节奏，振臂念唱着赞颂真主的词句。

除了舞者，周围的年轻人都靠墓地边坐着抽烟，沙贾提醒我们："这些都是大麻。"

有人把大麻烟递给我，生在红旗下的我当然不敢尝试。以前在印度，我和菜菜也被敬过鸦片茶，同样是敬谢不敏。

以前和法瑞迪提到苏菲之夜的时候，她不屑地说："那只是一帮年轻人在胡闹罢了！"并不建议我参加。不过亲临现场，我仍然觉得，苏菲舞者和鼓手所传达的节奏与韵律，似乎的确是来自另一个世界的敲门声。只是我们终究是凡俗人等，不得其门而入而已。

苏菲之夜的第二天，拉合尔背包客栈的客人猛增。

我和东伟去超市买东西，遇到一个找旅馆的男生，三言两语便把他拉到了拉合尔背包客栈，这就是韩国人成康远。

之所以特别提到他，是因为接下来我们将分享很长一段的旅途，只不过那时，我们对此都一无所知。

那段时间里，悠史成为我们的带头大哥，还带我们每人都做了一套席尔瓦卡米兹。我们每天穿得像巴基斯坦人一样，跟着悠史走街串巷，吃喝玩乐，日子过得逍遥自在。拿到伊朗签证时，我早就把刚到拉合尔时"待两个晚上，拿了伊朗签证就走"的计划抛诸脑后，一共在拉合尔待了半个月，才依依不舍地收拾行装，准备离开。

成康远已经拿到伊朗签证，我们约定结伴经过卑路支斯坦去伊朗。东伟要去卑路支斯坦找朋友，也会和我们同行一段。只有李玹定的伊朗签证出了问题，很遗憾地不能和我们一起走。

天下没有不散的筵席。临走前的一个晚上，李玹定去市场买了面粉，自己和面，给拉合尔背包客栈里的所有人做了一份韩国面疙瘩汤。

那是我们在拉合尔背包客栈最后的晚餐，也是我在巴基斯坦吃过最美味的晚餐。

以后不管我到了任何地方，拉合尔背包客栈的兄弟情谊，毕生难忘。

⭑ 木尔坦的军火一条街

你试过被军火店老板请去喝茶吗?

我和台湾人东伟、韩国背包客成康远，三个人从拉合尔出发了。

我和成康远要穿过位于巴基斯坦、伊朗、阿富汗三国交界，被西方背包客称为“地球的炼狱”的卑路支斯坦荒漠，前往伊朗；东伟要去卑路支斯坦的首府奎达看望他在伊斯兰堡旅行时的朋友哈贾先生。

我们结伴同行，途经木尔坦中转。到达木尔坦时刚刚天黑，我们雇了一辆三轮车去找哈贾先生的朋友，走过一条近两公里长的街道，街上都是卖医疗器械和药物的商店。

我对东伟说：“这么多做医疗生意的，大概是因为靠近战乱的卑路支斯坦地区吧。”

如果说我们之前在拉合尔的日子，还是一派和平与悠闲，那么到了木尔坦，旅途已经有了一些剑拔弩张的味道。

之前哈贾先生给了东伟一位木尔坦朋友的联系方式，让我们到了木尔坦便去投靠他。我们在医疗器械一条街上找到了这位朋友，当晚他安排我们住在商城后面的一家“Five Star Hotel”。

名字叫五星酒店，其实就是一家普通的旅馆。

在旅馆住下后，我们赶紧去买了第二天晚上从木尔坦到奎达的火车票。第二天，就安心地在木尔坦市内逛古迹和巴扎（市集）。

木尔坦位于巴基斯坦中部，是巴基斯坦最古老的城市之一，亚历山大大帝东征时曾被攻陷。伊斯兰教在南亚兴起后，这里汇聚了穆斯林贤者，后来又发展为伊斯兰教神秘教派苏菲派的活动中心，被称为“苏菲之都”。因此，木尔坦至今还保留了一些与巴基斯坦其他地方不一样的清真寺和古墓。

棉纺业是木尔坦的主要产业，老城的传统巴扎由许多弯弯曲曲的小街巷组成，像迷宫一般。除了日常用品和食物，两边的商铺主要销售棉纺的布料和成衣，整个巴扎色彩非常鲜艳。

巴扎非常大，客商来往不绝，我们进去之后，在熙熙攘攘的人群中穿行了一个多小时，才从另一端出来。

“嗨，你们看！”东伟突然喊住我们。

顺着他手指的方向，我转角一家店铺的门口挂着一张巨大的招牌，上面画的都是枪支，其中，一把大大的AK47格外醒目。

在拉合尔就听说奎达有很多商店出售枪支、子弹、手榴弹什么的，没想到木尔坦这个正经的城市也有！

没见过世面的我们屁颠屁颠地跑了过去。

走近后才发现，这只是巷子口的一家店，其实一走进巷子，里面的一排店都是做军火生意的。

我们这些叶公好龙的家伙，在这“军火一条街”转了两遍，探个头往里面瞧，又打不定主意进去。

毕竟我们不会买枪，要是被人当做捣乱，用枪顶着头赶出来，可就不太好啦！

“朋友们，进来看看。”正在犹犹豫豫时，有家店里的人跑出来，把我们拉了进去。

“朋友们，先来一杯茶吧。”端坐在柜台里的老板，笑容可掬地对我们说。

茶在巴基斯坦读音是"chai"，大概是因为从中国传过去的，便沿用了类似的读音。

巴基斯坦人特别好客，每到一个地方，如果有人打招呼，那接下来一句必定是问要不要喝杯茶。有一本著名的书叫《三杯茶》，里面有一句话：第一杯茶，你是陌生人；第二杯茶，你是我们的宾客；第三杯茶，你是我们的家人，我们愿意为你做任何事，甚至是死。

我第一次喝巴基斯坦人请的茶，是从印度坐火车进入巴基斯坦，在边境下车检查时，边防的军官还没检查我的行李和护照，就先问要不要来杯茶。刚才我们逛巴扎的时候，也已经被里面布料店的老板请了好几杯。

喝下一杯热奶茶，我们就壮起了胆，向店老板要枪来试试。

这个店面不算大，柜子和壁橱里冲锋枪、手枪、霰弹枪、来福枪、手榴弹、子弹却是应有尽有。老板除了不给我们子弹和手榴弹之外，有求必应，我们三个便一把接一把地试。

"这个XX国的、这个XX国的、这个是巴基斯坦生产的……"老板一件件介绍，如数家珍。

我对枪械懂得很少，只是从电脑游戏CS里了解了一些，看到有几把大概是AK47的，便拿起来问老板："这个多少钱？"

“100美金，仿制AK47。”老板边跟东伟他们试枪，边回答，“这个是XXmm口径，射程XX，那个是XXmm口径，射程XX，还有那个……你们觉得怎么样？”

老板解释了一通性能参数，可惜我一点都听不懂。

我曾经听一个专家说过：在社会比较稳定的地区，AK47的价格大约在230到400美元之间；如果价格低到100美元左右，则表示该地区的冲突状态突然停止了。如果AK47的价钱高到1000美元以上，则标志着该地区的冲突漫长而持续，而且正在进行。

可是，在一把AK47只卖100美金的巴基斯坦，在最近三个月里，仅拉合尔就有一个苏菲清真寺爆炸两次，死了五百多人。我去伊斯兰堡那天，因为伊朗签证的问题没能按时到达白沙瓦，没想到那天白沙瓦又爆炸了。

这难道就是专家说的“冲突停止”状态？

又听说在阿富汗拉一袋土豆就可以换一把AK47，那里是不是处于极度和平状态？

大概因为小时候的男生游戏，我们都对枪有着某种情结，但真的接触到这些冷冰冰的武器，又猛然觉得乱世艰险，和平是多么宝贵的事。

试了半天的枪，老板充满期待地看着我们，还是我们自己不好意思地停了手，解释道：“不好意思啦，我们只是游客，刚好路过进来看看而已的。”

“噢，原来是这样，没关系，你们喜欢的话还可以拿着拍照。要不，我们一起合张影吧？”

老板倒是一点也不介意，拍完照，又请我们用本国的语言在他的本子签上名，再笑呵呵地送了我们出去。

他的笑脸，在冷冰冰的武器映衬下，温暖热情得竟有了些荒谬的意味。

★ 穿越“地球的炼狱”

五天不通音讯，菜菜以为我死在了路上。

第一次看到卑路支斯坦这个名词，是几年前在余秋雨先生的书上。当年余先生跟着凤凰卫视的越野车队，在警车开道下，浩浩荡荡地从这一地区呼啸而过。他的文字非常生动，把这段经历写得如同世纪大冒险，还形容这里是“全世界最危险的地区”。

确实，卑路支斯坦位于巴基斯坦、伊朗、阿富汗三国相交的荒漠地区，这里最为世人所知的，应该是那个大名鼎鼎的毒品产区

“金新月”。

这里民族关系复杂，二战后英国从这一地区撤出时，实施了卑劣的殖民地独立政策，用杜兰线在巴基斯坦和阿富汗之间分离了普什图人，而卑路支斯坦则由巴基斯坦和伊朗分别占领，为日后的地区纷争埋下了伏笔。

1947年，巴基斯坦刚刚建国，卑路支斯坦便闹起了独立，尽管随后被镇压了下去，但现在当地的部落武装依然活跃，时常与政府军交火。

当地人告诉我们，除了首府奎达和奎达到塔夫坦的道路——这是沟通巴基斯坦和伊朗的交通命脉——政府军无法有效控制卑路支斯坦的其他地方。再加上这一地区毗邻阿富汗南部的塔利班老巢，近年塔利班被美军打得节节败退，就开始往卑路支斯坦渗透。

因此，理论上，这是一个毒贩子、部落武装、塔利班横行的三不管地区。

在奎达，东远带我们去见了他的好友哈贾先生，在他家住了一晚。哈贾先生是当地主管农业的官员，还曾经到过中国，我问他对中国的印象，他笑着说：“一切都很好，只是吃猪肉的人太多。”哈贾先生一家，都是虔诚的穆斯林。

临行前大家一起吃最后一顿饭，我顺手把吃剩的几张烤馕用塑料袋装好，挂在摄影包上。

成康远问："带这个干吗？"

"接下来什么环境还不清楚，带上些食物总是好的。"我回答，又买了些香蕉和两瓶矿泉水。

不想这些东西，就成了我们到达伊朗中部的亚兹德前，近四十个小时里所有的干粮。

哈贾先生帮我和成康远买了去塔夫坦的汽车票。我们在车站拥抱告别。

"你可以相信巴基斯坦人的为人，但不能相信他们的时间。"

"巴基斯坦人说等一分钟就是指一个小时。"

"去做一件席尔瓦卡米兹，裁缝说一天就好，其实最少要三天。"

"巴基斯坦的火车如果说准点十五个小时，那你就准备好三十个小时。"

这是背包客们对巴基斯坦人时间观念的抱怨。

不过以我的经验，其实巴基斯坦的汽车开得并不慢，只是路上检查站多，耽误的时间也就多。

另外，虔诚的穆斯林每天必须在五个固定的时间向着麦加的方向朝拜，即使是在车上也须如此。半路停车太多总让人不耐烦，我和成康远特地挑选了夜班车，也是想着可以路上少停车朝拜几次。

日落时分，司机在荒漠中停车，让大家做今天最后一次祈祷。夕阳把这一片荒漠染成血红，时值深秋，朔风呼啸而过，举目所见，一片苍凉。

尽管无须再朝拜，但这条路是沟通巴基斯坦和伊朗的生命线，政府军派了重兵把守，沿路有许多军队的检查站，基本上车子走半个多小时就得停一次。

士兵上来检查，看到我们两个外国人，就抓下去登记护照，再盘问一下从哪个国家来，叫什么名字，要去哪里，为什么目的。

总算是中巴关系好，听说是中国人，士兵们就说："噢，中国兄弟，欢迎来卑路支斯坦，祝你好运。"我赶忙回个"舒克利亚（谢谢）"。

每次检查都因为我们耽搁时间，让车上的人等很久，上车后我们总要一边说着道歉的话，一边回座位。

车上会英语的巴基斯坦人安慰我们："没关系，你们是我们的客人，他们检查也是在耽搁你们的时间，这一切都是因为我们政府的愚蠢。"

其实我不懂得他们说什么愚蠢，是说频繁检查耽误时间？还是说军队把他们的家乡搞得这样草木皆兵？

半夜里，车子又到一个检查站，士兵不确定能不能放我们过去，让我们进旁边的屋子里等消息。

这是荒漠中路旁的一个土胚小屋，没有电，屋里只有一盏应急照明灯。昏暗灯光下，我们看到一个大胡子军官正盘腿坐在土炕上，身旁放着一把冲锋枪，后面的墙上挂着一套迷彩军装。

士兵过去跟他说了几句，那军人便转过头来对我们说："先喝一杯茶吧。"

一见面先被请喝茶已经成了在巴基斯坦旅行的惯例，我们也不推搪，答了一声"好"。

军官于是把士兵差出去准备茶，又把我们的护照凑到灯光下翻看了一通，问："中国人，韩国人，你们要去塔夫坦？要去伊朗？"

"是的，明天一早我们就从塔夫坦过去伊朗。"我们乖乖地回答。

"听着，现在我需要打电话给上级，看能不能让你们过去，你们先在那边坐着。"

之前通过的检查站，我们只要做好登记就可以放行，不知道为什么这一个如此严格。

军官拨了一通电话，说上级不在，让我们继续等着。这时士兵端来奶茶，寒冷的沙漠之夜，喝起来特别温暖。一杯茶下肚，军官和士兵开始八卦了起来，问我们年龄、职业、有没有结婚、多少个兄弟、去了巴基斯坦哪里旅行、喜不喜欢巴基斯坦……越问越起劲。

我们不敢得罪他们，开始都有问必答，后来问多了我也不耐烦，于是对军人说："嗨，我们等了很久了，麻烦你再打一个电话问问。"

“什么？”

“打电话！”我的语气也不太好，谁愿意三更半夜在这个鬼地方陪你闲扯，我们的车子还在外面等着呢。

军官又拨了一通，上级还没回来，我等得烦了，拉成康远到外面去。这时我们已经等了半个小时，车子上的其他人也按捺不住，都下车在屋子前面站着。我实在受不了这样拖累别人，于是又冲进去让胡子军官打电话，结果，上级还没回来。

“是不是回家跟老婆睡觉去了？”我和成康远低声抱怨着。

就在这时，一盏车灯照过来，一辆皮卡车驶到小屋前，皮卡顶上架着一挺巨大的重机枪，一个穿长袍的人站在后面。停车后下来一群男人，全部一身长袍，脸上用布蒙得严严实实，只露两只眼睛，架势和电视新闻里阿富汗战场上那些游击队一模一样。

“部落武装？”我心里一惊。

我记得在余秋雨的书上提过，他们的越野车队从这里开过时，夜里看到路上有一辆可疑的卡车，吓得一踩油门，落荒而逃。现在这种卡车就停在我面前，上面还架着重机枪！

我们可没有警车押送，也没有越野车，我的人生不会就在这里打酱油了吧？

正在忐忑，这些人在我们面前停了下来，打量着我们。我们赶紧挤出笑容，右手放在左边胸前，欠身打了一声招呼：“爱莎兰瓦莱贡（愿真主赐你和平）。”

那边也同样地欠身，从蒙脸的布里传出一声回礼："瓦莱贡沙拉姆（愿和平也与你同在）。"

一个友好的示意，让我们放下心来。

大胡子军官听到声响走了出来，走近这些人，唧唧喳喳用当地话聊天，不时看看我们。我们紧张地站在一边。突然我不知道哪根筋不对，想拍下他们，我带的是单反相机，不方便拿出，成康远有一个小的，我便凑过去低声说："拍照。"

成康远摇摇头，不敢拍。

"相机给我。"我从他那里把小相机拿过来，挂在肚子前面，又假装侧过脸和成康远讲话，同时悄悄按动快门。可惜因为没有灯光，后来看这些照片上只有模模糊糊的轮廓。

站了一会儿，那些武装分子爬上皮卡，呼啸而去。

我们又开始催那个军官："快点打电话，我们车上的人都等了大半个小时了。"

"别着急，让他们等好了，进来再喝杯茶，我们再聊聊吧。"

一个小时过去了，电话终于打通，我们被放了过去。

耽搁了那么久，我气得没跟大胡子军官道别就上车走人。

车子凌晨三点半到达塔夫坦，根据我原来从别的背包客那里得到的信息，这趟车一般是清晨到的，等到八点半就可以去通关。

没想到在巴基斯坦坐了那么多次车，就这一次提前到，我真是哭笑不得。

第二天，我们进入了伊朗一侧的卑路支斯坦地区。伊朗边防收走我们的护照，告诉我们这里外国人不能自己坐车，要包一辆小汽车，让海关派一个士兵送我们。

从边关到一百公里外的伊朗一侧卑路支斯坦首府扎黑丹，沿路也是很多军队的检查站，每到一个检查站，护送我们的士兵就换一个，他们都是拿着冲锋枪坐在我们旁边。

到了扎黑丹，我们被交到当地警察局，警察局给我们登记后，再派警车送我们到车站，把我们送上开往伊朗中部城市亚兹德的班车后，才把护照还给我们。

至此，我们才算穿过了整段卑路支斯坦地区，获得了自由。

谢谢穿越卑路支斯坦的那几天，我一直守在网上。

虽然理智也告诉我“枪杀和爆炸都是小概率事件，不会那么巧发生在他身上”，但就是止不住地担心。MSN上他的头像一直灰着，怎么敲他，就是不理。

不会被部落武装误伤了吧？不会被毒贩子抓去当人质了吧？不会被当成间谍抓起来了吧？

这么胡思乱想，到第三天的时候，我已经觉得他“可能真的出事了”。

到第四天的时候，我觉得他“一定已经出事了”。

到第五天，他忽然从MSN上跳出来，告诉我“到伊朗了”的时候，我的第一个反应是：啊呀，诈尸了！

并不是我太神经，而是，谢谢走的这一段，确实被誉为“世界上最危险的旅途”。

我8月开始去美国读书，在紧张的课业中继续游山玩水，美西走了一路；与此同时，谢谢却从青海搭货车去了拉萨，从拉萨绕道尼泊尔和印度，最后到达了巴基斯坦。

可能因为没有我的牵绊吧，这一段路，谢谢走得艰苦，但更加随心所至。坐货车从青藏公路进藏，半夜翻越唐古拉山，穿越卑路支斯坦荒漠……这些路线，旅行者们会知道有多凶险，但他走得那么笃定，半年的时间，他已经成为一个真正的背包客。

在最后成书的时候，谢谢和编辑悄悄还有过小小的争执。

编辑悄悄说：这一段好像和“为爱走天涯”的主题没什么关系，要不，删去吧？

可是谢谢觉得，这是他旅途中非常重要的一段，一定要保留。

后来他们问我意见，我说：保留吧。

我想告诉每一个看到这一章的人，也许你会觉得这段旅程一点都不浪漫，但对我和谢谢来说，这一段路具有特别的意义。

虽然这是一段没有我的旅程，但我知道，走过这样一段路的男人，我能放心地跟他一起走遍全世界。

真心的，我为谢谢感到骄傲。

第六章

柔软的波斯

穷游的人在夜班车上醒来，每天到达一个新的地方。
在不同的城市里，**看过了不同的日出。**

| 伊朗 | 大眼睛女孩 | 像小昭一样美丽 |

★ 亚兹德不需要地图

漫步在亚兹德，会不会遇上一位像小昭一样的姑娘?

从锡斯坦到卑路支斯坦的首府扎黑丹到伊朗中部古城亚兹德的夜班车在清晨到达，我和成康远就此踏上了伊朗的土地。

伊朗的城市都十分整洁，道路干净，民居齐整。伊朗人对自己的波斯文明感到骄傲，重视保存传统，这里所见之物充满与外界不一样的波斯风韵，所遇之人皆彬彬有礼。

当看到街上的波斯民宅前走过穿着长袍、戴着头巾的伊斯兰贤哲时，我们仿佛回到了中世纪。

说到亚兹德，大多数人会感到陌生，但只要看过金庸的武侠小说，就会知道，亚兹德就是“明教”波斯总坛的原型，琐罗亚斯德教（中国人称明教、拜火教）的圣地。

如今明教早已式微，但在亚兹德还有一小部分教徒，明教圣火依然在亚兹德的圣祠里燃烧不息。

进入亚兹德时，我兴致勃勃地跟成康远描述此地在中国人心中的特殊地位，但英语水平实在一般，只能说成：“你知道中国功夫吗？在中国，有一种书，很流行，琐罗亚斯德教的人，从波斯到中国，功夫都很厉害，还有漂亮的波斯姑娘。”

说完我双手乱舞，模仿武侠片中大侠出招的姿势，唬得成康远一愣一愣。

至于“漂亮的波斯姑娘”，在我心目中，当然是指小昭啦。

初到亚兹德，我们便去找背包客们推荐的“可汗旅馆”。这间旅馆深藏在老城中，我们打车过去，在仅允许一辆车通过的狭窄小巷子里穿行，问了许多人才找到。

老城的小巷里平日极少有机动车行驶，我们清晨一到这里就打破了宁静，心里实在觉得很抱歉。

到旅馆时，我们在边境换的一点伊朗里尔已经花光了，于是很不好意思地跟旅馆的人说：“我们身上的钱花光了，待会我们会去银行兑换，能不能帮我们付车钱？晚点我们车钱、房钱一块付。”

可汗旅馆的人非常和善，不但帮我们付了钱，等我们在多人间安顿好洗完澡，又招呼我们吃免费的早餐。按一般旅馆的规矩，我们的免费早餐应该只是第二天早上才有，我们问接待的人：“我们吃两天的早餐，没关系吗？”那位亲切的穆斯林妇女笑一笑说：“没问题。”

我们为多人间付的房费只有5美金，这个价钱在伊朗路边的小餐馆，只能吃一碟米饭和一串烤肉。

吃完早饭，在水池边的床上赖了一会儿，我们就出去逛老城。亚兹德老城是清一色的土黄色房子，街巷弯曲幽深。也许是为了防沙尘、挡烈日，许多巷子都有圆拱形顶盖，顶盖的最上面是一块五彩玻璃，阳光照在上面，投射出淡淡的五彩光线，映在巷子的土墙上，又让土黄色的墙现出微微的金色。

在巷子里某个拐角转过，眼前又忽然出现一座雕饰精美的天蓝色清真寺。这纯粹得只有天蓝和土黄两种色调的老巷子，加上偶然走过的套着黑色长袍的穆斯林妇女，让老城显得既美丽又神秘。

因为在外面走得久了，从巴基斯坦的拉合尔开始，我就基本抛开了旅行指南书，让自己从一个按着旅行指南来走的旅行验证者，成为一个自己去发掘美丽的旅行探索者。

到伊朗之前，我在拉合尔背包客栈上网查阅了一些伊朗的资料，只打印了八张城市地图就来了。

而在亚兹德，我索性连地图也扔到一边，与成康远一起随性而走。偶尔与路过的当地人聊上几句，互道一声“沙拉姆”（伊朗问候语）；偶尔被热情的伊朗人拉进茶馆，在波斯庭院的水池边一起喝茶；偶尔逛进一个巴扎，一件件精美的波斯手工艺品和做工精细的波斯地毯，让我们啧啧称奇。

回旅馆的路上，我们遇到一群大学女生，被叽叽喳喳地围着要求合影。我在人群中寻找着像小昭一样美丽的波斯姑娘，又不觉想起了一部有名的伊朗电影，叫《黑眼睛》。

在亚兹德的三天，时间是在游荡中不知不觉地过去。因为太喜欢这里，大半个月后，我在伊朗旅行快要结束前，特地从德黑兰千里迢迢赶回这里，又待了三天。

我和成康远把在亚兹德的游历称为“Lost In Yazd”——迷失在亚兹德。

★我是秦人，他来自朱蒙的国家

在伊朗，韩剧的知名度，可比韩国要高。

到亚兹德那天上午，我和成康远出去逛老城，还没走多远，一辆小摩托车从后面开过来，停在我们前面。开车的是一个小伙子，转过头来对我们道了一声：“沙拉姆。”

在旅行的路上，作为老外，已经习惯被人搭讪，我们很自然地回了一礼。

“请问你从哪里来？”对方又问。

“中国。”我答道。

“噢，秦，欢迎来到伊朗。”

在伊朗，人们称呼中国为“秦”，比起“China”这个西方人起的名字，“秦”让我感觉更亲切，心中赞道：“毕竟波斯是和中国一样的文明古国！”

我没想到的是，那小伙子因为中国而兴奋过头，居然跳下车，跑过来一拍我的肩膀。

“秦人，你知道，Jack Li，Bruce Li，Jacky Chen，中国功夫，Come on！！！”说到李连杰、李小龙、成龙这三个武打明星，这家伙像打了鸡血一样，学着电影里黄飞鸿的姿势摆了起来。我和成康远看得目瞪口呆。

耍了一通后，小伙子又问我：“你做什么工作的？”

“没工作。”

“来伊朗做什么？”

“旅游。”

“觉得伊朗怎么样？伊朗人怎么样？”

“好，都很好！”我有点紧张，因为预感到，他马上就要问到最让我挠头的那个问题了。

果然，小伙子顿了一顿，认真地问我：“你的宗教信仰是什么？伊斯兰教？基督教？印度教？佛教？”

“我们没有宗教信仰。”我回答，咳嗽一声。

“没有信仰，这怎么可能？你相信安拉吗？”

“真的没有。我们不信安拉。”我和成康远尴尬地摇着头。自从离开中国，我就经常会被人问到“有没有信仰”。而“没有信仰”这个回答，总是会让提问者大惊失色。

后来我们发现，这个爱问问题的小伙子，只是好奇的伊朗人的一个缩影。伊朗人大都是很有修养的虔诚穆斯林，交谈中礼数周全。因为伊斯兰法规禁止歌舞、酒精等娱乐方式，伊朗人平日里的休闲活动主要是体育运动、看电视、假日旅游、波斯诗歌等。也许是因为国家的长期封闭，他们希望更多地了解外面的世界，遇到游人，往往会打破砂锅问到底。

在伊朗期间，我被问到的问题大致有：结婚没有？家里父母情况如何？中国现在发展得怎样？你们的信仰？中国有没有性爱自由？怎么看待伊朗男足的表现？广州亚运会是否成功？等等。

我原以为这是个十分保守的国家，没想到他们谈论的话题却是如此之广，甚至可以旗帜鲜明地表明自己是支持保守的内贾德，还是开放的穆萨维。

在来伊朗之前，我很难想象，每天都有这么多在街上偶遇的路人，和你聊这么深入的话题。有时聊着聊着，我们会被请去茶馆喝茶继续聊，或者索性请回家吃饭。

每天被人这样“审问”，虽然有些烦，但这样一来便可以抛开旅行指南，从伊朗人口里了解这个国家，倒也是一件乐事。

相比波斯和中国两大文明古国的对话，韩国人成康远就比较郁闷了。

当有人问他：“请问你从哪里来？”

他就回答：“朝鲜。”

对方马上就会问：“朝鲜？还是韩国？”

过去一路上从来没人会问这个问题。

因此，成康远每次被问起，就很不耐烦地嘟囔着：“是韩国，朝鲜人很少会来伊朗旅行吧？”

除了朝鲜和韩国的问题，有时有些英语不太好的伊朗人，听不懂韩国人的英语发音，又非要打破沙锅问到底，令成康远非常郁闷。

直到有一次，有个人听到他是韩国的，很惊喜地叫道：“噢，韩国，朱蒙，你知道朱蒙吗？”

“知道，知道，那是韩国连续剧，你看过吗？”在伊朗遇到有人知道韩剧，成康远终于兴奋了起来。

接着又有几个人说起《朱蒙》，甚至有人说到《大长今》。我们去逛街时，发现一些卖碟的商店，在很显眼的地方摆放了《朱蒙》、《大长今》等韩剧。

看来在伊朗，《朱蒙》这部韩剧的知名度，比韩国的国家名字要高。

从此以后，成康远终于找到方法，避免伊朗人跟他纠缠是朝鲜人还是韩国人的问题了。

“你知道朱蒙吗？著名的韩剧，我来自朱蒙的国家。”

有时伊朗人过来问我们俩从哪里来，我也顺便帮他回答了：“我是秦人，他来自朱蒙的国家。”

后来我们结伴而走，到每个国家，我都要为下一个国家的签证奔波，韩国人却都可以免签证，成康远有时嘲笑我说：“你不如加入韩国国籍算了。”

我反唇相讥：“那你们韩国不如改名叫朱蒙国算了！”

这是朋友间的玩笑，可别当真。

★ 一路都是朋友

我们在伊朗一半的旅途是在夜班车上度过的。

我和成康远之间，曾有过这么一段对话：

“谢，你有女朋友吗？”

“有啊，我们上半年还一起在南亚旅行呢。”

“那你为什么要出来旅行？”

“因为旅行是我的梦想。”

“你知道我是为什么出来旅行的吗？”

“不知道。”

“我刚跟女朋友分手了，很难过。我们在一起好几年了，我想忘掉她，所以辞职出来旅行。”

成康远说出这段话时，有点黯然神伤的味道。当时我们是在一趟夜班车上。我们在一起坐过许多趟夜班车，每一趟，都要东拉西扯很多话题，这一次，不知怎么，说到了感情。

我告诉成康远，我和女朋友原本生活在很远的两座城市，是在旅途中相识，因为旅行而走到了一起。

“那现在呢？她为什么不和你一起到伊朗？”

“她要读书啊。”我说着，想起了远在美国的菜菜，也有些神伤。上半年一起旅行的日子，是我人生中最美好的时光。但旅行毕竟不是生活的全部，我和菜菜都还有别的梦想，有要共同为之努力的生活。

其实，在决定一起旅行时，我们就有共识：路上风景再好，旅途也总有结束的一天，那时，我们也要像上路时一样，勇敢地用自己的方式生活下去！

下半年没有菜菜相伴的旅途中，我总是尽量多上网跟她联系。但到了伊朗之后，因为晚上总是在没有网络的夜班车上，再加上有时差，我们难得在网上碰到，每天的平安留言，便成了我们之间通常的交流方式。菜菜知道我在一路上拼命省钱，总是心疼地叫我多吃点好的。而我呢，总觉得自己撑得住，省下钱，便可以多走几个地方，看到更多世界。

从巴基斯坦到伊朗，对于背包客来说，意味着从物价低廉的南亚，进入了万物昂贵的中东。

伊朗在中东国家里还算物价比较便宜的，但对我和成康远来说，从吃一顿饭不到5块人民币的印度、巴基斯坦，一下跳到吃一顿饭要5美金的伊朗，还是吃不消，于是只能开始节衣缩食。

吃饭方面，我们一天只吃两顿饭，在包早餐的旅馆狂吃早餐，吃完后把剩下的馕收到口袋里，中午逛得饿了，就啃馕，等到晚上再饱餐一顿。

住宿方面，从巴基斯坦的木尔坦开始，从一个城市到另一个城市，我们全部坐夜班车，一共坐了十一个晚上。这样，既能省下不少住宿费，又能省下白天旅行的时间。

有一次，我们坐在从扎黑丹到亚兹德的夜班车上，穿越伊朗东部的荒漠地区。当时是11月，已是深秋，荒漠的夜晚非常寒冷，我和成康远都穿上了最厚的衣服，又掏出各自的睡袋把身体裹起来。

我带的是一个薄薄的夏天睡袋，无法抵挡寒意入侵，抖抖索索地无法入睡。成康远发现我睁着眼，便问：“为什么不睡觉？”我从牙缝里只挤出一个字：“冷。”成康远一把扯过他的厚羽绒睡袋，对我说：“拉过去吧，一起用。”我也顾不上客气，一把抓过来盖在身上，一个人的睡袋，就变成了两个人的被子。

我和成康远的友谊，就是在这样的夜班车之旅上建立了起来。

回想起在拉合尔时，台湾朋友东伟因为要在木尔坦跟我分开，便问我是否打算和成康远一起走。当时我不假思索地回答：“我不喜欢韩国人，一起过了卑路支斯坦之后，我就跟他分开。”

那时，我并不知道自己会和成康远一起，走完剩下的全部旅程；而成康远的真诚和慷慨，让我为自己当初的偏见感到羞愧。

我和成康远的夜班车之旅，前一半是坐汽车，后一半都是坐火车。伊朗的火车只分为两层空调卧铺的一等车厢，和三层空调卧铺的二等车厢，车票要在火车站或代售点买。

在伊朗的火车上，我们还摆过一次乌龙。

那是在伊斯法罕，我们到代售点买去首都德黑兰的夜班火车票。代售点里只有一个年轻女孩懂一些英语，我们慢慢地反复跟她说：“我们要买今天晚上，今天晚上，到德黑兰，德黑兰，二等火车票。”解释了很久，女孩才明白了我们的话，给了我们两张车票。

在伊朗，英语并不普及，车票上的文字全部都是波斯文。我们让女孩给我们把第几节车厢、几号卧铺用阿拉伯数字写出来。晚上上火车后，我们对号入位，美滋滋地准备铺床。

之前我们已经连着坐了五晚的夜班汽车，今晚终于可以躺下来睡觉了。

不想，火车刚开动，我们卧铺的隔间又闯进来两个伊朗人，说我们的铺位是他们的。我们很愕然地以为售票的女孩把床位号写错了，掏出车票给对方看，说："你看，这是我们的车票，你看是这个位置吗？"

对方一看我们的车票，也傻了，因为上面的车厢、床位号、车次，跟他们的票上一模一样！

"难道售票员弄错了？"我们搞不懂了，有人去喊来列车员，周围隔间的人听到动静，纷纷挤过来围观。

我们这四张奇怪的车票，怎么看都一模一样！

伊朗人也是执着，就把我们的车票传来传去。过了好半天，车票传到一个人手里，那人突然哈哈大笑起来。

"你们看，日期这里有一个数字不一样，你们的车票是下个月的今天，同一趟车。"

我们夺过来一对，日期上的数字的确是有一个不同。在伊朗待了一段时间，我们也能看懂波斯文的数字，但车票上的日期，用的并不是西历，而是伊斯兰历法，我们买票的时候无法核实，结果摆出了这样的乌龙。

票的问题弄清了，可火车也已经开了，我们只好退到过道里蹲着，准备蹲到第二天早上。

同一个隔间的乘客，还有旁边一个隔间的两个小伙子，不断地劝我们进去和他们一起坐，他们说："你们是伊朗的客人，如果你们在外面蹲着，那我们也不能睡。"

我和成康远交换了个眼神，都是不想吵到大家，还是在外面蹲着。于是那几位热心的伊朗人就分头到各个车厢去，联系列车员，找空位。

正巧在下一站有人下车，他们给我们找到两个铺位，安顿好之后，才各自回去睡觉。

这样夜班车的旅途虽然辛苦，但每天清晨，我们总是在朝霞初露、星月尚未落下的时候到达另一个城市，所以总能看到美丽的日出。

在伊朗，我们尽量不住背包客推荐的旅馆，因为旅馆只要一经推荐，价格就会上涨。于是每到一处，我们都会先找一个旅馆多的地方，由成康远看包，我去四周打探行情，尽量寻找便宜而环境尚可的旅馆。

就是这样辛苦的旅途，从火车站到市内，或从市内到火车站，我们坐公交车几乎没机会付钱。看到我们背着大包，一身风尘仆仆的模样，热情的伊朗人总会抢着帮我们付钱，或者公交车司机直接大手一挥，说："请坐下吧，不用买票了。"

有一回，我们准备打车去市里，伊朗很多司机不会说英文，我们总要对着地图解释半天。

这时有一个路人经过，看到我们正指手画脚，他就过来用英语问我们去哪里，然后找了一个司机，交代好，又回身跟我们说："我已经跟司机说好了，你们请放心吧，车费我已经付了，祝你们在伊朗有一个愉快的旅程。"然后转身就走。

从打车的地方到市内很远，车资不菲，我们感动得不知道该如何表达。

后来，成康远回到韩国后，回忆起这段夜班车经历，他在个人空间上写了一段话：

Half of our journey in Iran was with Bus. Every time we took a night bus, every morning we were very tired. But memories of our travel are so so sweet.（我们在伊朗一半的旅途，是在巴士上度过的，每次我们乘坐一趟夜班车，早晨都会非常疲劳，但我们旅途的记忆，是非常非常美好的。）

后来在德黑兰，我为了土耳其签证奔走了一个星期，四处碰壁。成康远是韩国人，不需要办理签证就可以直接去土耳其，为了等我办签证，他和我一块待在这个无趣的中东第一大城市。

后来听说大不里士还有另一个土耳其领事馆，我决定再去那里碰碰运气。

成康远说："我的护照本来不用办签证，但我想和你一起去。我们一起到领事馆，把两本护照放在一起，也许签证官看在我们都是旅行者的份上，会给你签证。我们一起旅行那么久，我不希望你一个人留在这里，希望我们可以一起去土耳其。"

为了我的土耳其签证，在巴基斯坦时，法瑞迪和我到伊斯兰堡的土耳其使馆，还揪出了签证官；现在在伊朗，成康远为了等我，多待了一个多星期。我们都是穷游人，这一个星期意味着时间和金钱的消耗。成康远对我的兄弟情义，每一次回想，都会让我感动。

我最终没有拿到签证，成康远只好一个人去了土耳其，而我留在伊朗，想办法飞到黎巴嫩去（中国人在黎巴嫩可以落地签）。

临走时成康远说："到了黎巴嫩，上网给我留言，我去找你。"

一周后，我到了黎巴嫩首都贝鲁特，当晚就在网上给成康远留了一句话："我到贝鲁特了。"

第二天我出去玩，晚上回到旅馆时，看到成康远已经坐在我住的多人间里。

他说："我今天在网上一看到你的留言，就立马从叙利亚通关到黎巴嫩来找你。"

“你怎么知道我住这里？”我又惊又喜。

“全贝鲁特没有比这家更便宜的旅馆了，我猜你肯定在这。”

成康远这句话让我眼眶一热，心里明白，这是同甘共苦过的兄弟之间的默契。

背包客的夜班车旅行虽然有时觉得苦，但从这里得到的友谊，还有体验到的友善，岂是花大钱出入住星级酒店的游客们能得到的？

我是个奇怪的人，很喜欢坐夜班车，特别是火车。我也喜欢在机场过夜，这让我有在旅途的感觉。

我甚至希望我到60岁还可以坐夜班火车、在机场过夜，这会让我感到，旅途永无穷尽。

在这一点上，谢谢和我非常有共鸣。我们在一起旅行时也常在机场过夜，随身带了一只小的电热杯，每天早晨，我们都会找一个插座，烧些开水，泡蜂蜜茶或者奶茶喝。

看到他和成康远在伊朗坐夜班火车的经历，我有些心酸又羡慕的感觉。两个男人连续地在夜班车上过夜，然后一起看到早晨的日出，怎么说都有点暧昧的意思吧……

我真希望自己那时和他们在一起（别乱想，哈哈！）。

不过，旅行的魅力，也正在于这种未知与期待，这种似乎永远会遇见更美好事物的憧憬。

当我和谢谢一起在斯里兰卡旅行的时候，遇见了嫁到黎巴嫩的台湾大姐伊曼。告别时我们说“将来去黎巴嫩玩”，当时觉得这件事很遥远，没想到半年后，谢谢真的到了黎巴嫩，受到了她热情的招待。

当谢谢和成康远在伊朗分开的时候，不知道今后什么时候可以再见，没想到一个多星期后，他们又在贝鲁特重遇。

2009年，当我和谢谢各自离开直白，谁都想不到，以后的一年我们会一起旅行。

人和人的相遇真是很奇妙，长路且行且远，梨花树下小坐，珍惜每一段擦肩而过的缘分吧。

——菜菜

第七章

流动在中东的厨房

世界若有十分美，九分在耶路撒冷。
世界若有十分忧愁，九分也在耶路撒冷。

⋆ 大不里士的韩式鸡肉粥

成康远病了，那锅鸡肉粥简直救了他的命。

旅行中第一次自己下厨，是在伊朗的大不里士。

那天，为了我的土耳其签证，成康远和我一块从德黑兰到大不里士。大概因为之前不断地乘夜班车，旅途劳累，下午我们逛完街回旅馆后，成康远就躺在床上，哼哼着说："我好累，我觉得我病了，身体很虚弱，我必须吃一点韩国的食物。"

他也出来好几个月了，长途旅行，有时是会水土不服的。

我问他："这里可没有韩国餐馆，我们只能跟旅馆借个厨房自己做点，你想吃什么？"

"韩国米汤，放米、放水、再放些鸡肉，然后煮。"我猜他想说的是煮鸡肉粥。我们俩英语都不太好，要说复杂的话，只能进行猜谜式的交流。他又说："刚才逛巴扎的时候，我看到有卖鸡肉的，我们可以去买点。"

我们一起去巴扎买了一只小的冷冻鸡，花了40000里尔（人民币不到30块）；一公斤米，花了10000里尔（人民币7块多），这可比在外面吃便宜多了。

成康远又去买了许多蒜头，我问他："煮鸡肉粥干吗买那么多蒜头？"

他回答："韩国人煮鸡肉粥就是要放很多很多蒜头。"

"真奇怪，中国的鸡肉粥只要放几片姜就可以了。"我实在想不明白，粥里面搁进蒜头会是个什么滋味，忍不住对韩国的饮食文化有了点怀疑。

"那今天我做一个韩国的，明天你做一个中国的吧。"成康远"开明"地说。

当晚他做主厨，我围观。他先在锅里放水，烧开，把鸡肉扔进去，煮熟后捞起来，再把洗好的米倒进煮过鸡块的汤水里，继续煮。

捞出来的鸡肉，他用手撕成一条条的鸡丝，过一会儿，跟十几个蒜头一起扔进米锅里，就等着吃了。

旅馆里的伊朗伙计看我们捣鼓，新奇不已，凑过来问在做什么，最后又眼馋地叮嘱："煮好之后记得分给我一碗哦。"

没想到待到煮熟时，锅里的水都快收干了，变得粥不像粥，饭不像饭。成康远叫了一声："糟糕，刚才饿晕了，放了太多米！"

我叫刚才那伙计过来一起吃，谁知他瞄了一眼就客气地表示："哎呀，真对不起，今天晚上吃得太多了，到现在还很饱，你们自己吃吧。”

虽然卖相不好，但我们好几个月都没吃过粥了，借着鸡肉的香气，还是把锅里的东西吃得一干二净。

第二天轮到我下厨，准备去巴扎采购时，却遇上一对热情的伊朗夫妇，把我们请回家，给我们做了米饭，炖了牛肉，让我们饱餐了一顿。

晚上回来美美地睡上一觉，次日起来，成康远已经精神焕发。

但该我煮的一锅粥还是要煮的。我们于是又去巴扎逛了一圈，生姜、葱都没得买，只买回来了半只鸡。市场里的人看我们两个老外天天往这跑，许多人跑来跟我们聊天合影，临走时塞给我们一些橘子、香蕉之类的水果，两个抠门的男人于是乐呵呵地满载而归。

没有足够的材料，当晚我只能用大米和鸡块，再加点盐煮了一锅粥。吸取了成康远的教训，这次我把水与大米的比例控制得好，煮出来的粥卖相还不错，两人又美餐了一顿。

后来，我在大不里士没拿到土耳其签证，成康远只好一个人去了土耳其，我留在伊朗，为了省钱继续煮鸡肉粥。买不起整只鸡，幸好在伊朗鸡翅膀便宜，花了2000里尔买了一只全翅，再花3000多里尔买几片生菜，又买了几两大米。老板见我如此抠门，临走时拿了一只全翅，硬塞到我袋子里说：“再给你一个吧，年轻人吃那么少怎么行？”

伊朗人民盛情难却，我于是把两只鸡翅拿回去，熬了一锅鸡翅粥，又烫了生菜。虽然味道清淡，却吃得险些掉下泪来。百感交集地拍了照片，上网传给菜菜，告诉她：这是我离开尼泊尔后，第一次吃上绿色蔬菜。

⋆ 贝鲁特的中国米粉

原来，我一直跟一个厨师在旅行……

我从伊朗首都德黑兰，飞抵黎巴嫩首都贝鲁特。到机场来接我的人是伊曼。

伊曼是台湾人，嫁到了黎巴嫩，她是一位虔诚的穆斯林。我们是上半年在斯里兰卡旅行的时候认识的。因为都是中国人，我和菜菜与她一家聊得很愉快。分别时，伊曼留下联系方式，说：“日后有机会来黎巴嫩，一定要来找我们哦。”

没想到，不到半年，我就真的到了这里。

故人见面，伊曼自然会问起菜菜，我便答：“她在美国读书，每天除了做案例就是游山玩水，上周还去了西班牙。”

“她是个很厉害的女孩子，你们真的很般配！”伊曼看了看我晒黑饿瘦的脸，大笑说。

那天我原本打算一下飞机就去埃及大使馆办签证，但伊曼说服我改变了计划。

“刚才我绕道去大使馆问了，现在还没开门，我先带你去吃早餐吧；你说要入住的旅馆我已经帮你订好了，没想到贝鲁特居然有这么便宜的旅馆。”

伊曼请我吃早餐的餐馆，就在贝鲁特的标志性景点——地中海边的一块风化巨石鸽子岩的旁边。

“这里是观赏鸽子岩最棒的地方，我们来吃一顿正宗的阿拉伯早餐吧。”伊曼笑吟吟地说。

她话音刚落，侍者便送上餐牌，我一看上面的食物标价，小份的点心都要十几美金，主菜更是要二十几美金。我这一路上何曾吃过这么腐败的早餐，不敢做决定，全部由伊曼点餐。

伊曼要了四份菜：一份阿拉伯披萨；一份薄饼，里面夹着甜口的芝士或者咸口的一种菜；一份夹着肉糜的油炸饼；还有一份，是用葡萄叶子包裹着米粒和蔬菜，酸酸甜甜的，很好吃；我最喜欢的是一份像面糊一样的东西，中间浇上橄榄油，滋味爽口。问伊曼这是什么，她答：“这是用豆子粉做的哦，这种豆子在市场上一斤要四十美金。”

除了上述的菜，伊曼还说我看上去饿狠了，又加点了一份烤饼做主食。这真是一顿丰富的早餐，伊曼的盛情款待，让我简直受宠若惊。

在饭桌上，我也提出了一个一直困惑我的问题：“伊曼，在我前往巴基斯坦时，说实话心里一直很忐忑，因为总是有人把伊斯兰国家讲得很恐怖，但我一路走来，却发现巴基斯坦和伊朗的人民是我去过的国家里最乐于助人的，有些事常常让我很感动。”

伊曼听后，想了想说道：“马来西亚前总理马哈蒂尔曾经说过一句话，‘伊斯兰教是一个被误解了的宗教’。在伊斯兰教义里，所有穆斯林都有义务帮助十类人，其中一类就是旅人。如果对这十类人不提供帮助，不行善，死后就要接受真主的审判。”

早餐后去埃及大使馆办理签证，通知隔日来取，之后伊曼再送我去旅馆。贝鲁特是中东物价最高的城市之一，我找的旅馆很简陋，多人间是10美金一个床位，我安顿下来后，伊曼就匆匆告辞。毕竟是在阿拉伯地区，妇女不适合在旅馆这样的场所停留太久。

次日，我上网给成康远留言后，便自己去了贝鲁特北部的小城比布鲁斯。这是座一直有人类不间断定居的古老小镇，地中海的景色非常迷人。

傍晚回去时，我顺便到市场上买了些大米、土豆、青椒，因为比布鲁斯的物价要比首都贝鲁特便宜一些。

回到旅馆时，我惊喜地发现成康远已经来到。不仅如此，旅馆的人还交给我一个塑料袋，里面装着一个饭盒。

“这是昨天送你来的女人拿来的，看到你不在，她留下就走了。”

我打开袋子一看，原来是一盒三丝炒米粉，真是又惊又喜，赶紧借旅馆的电话打给伊曼。

“伊曼，那个三丝炒米粉是你送过来的吧，我看到了，真好，真是太谢谢了。”

“别客气。你在路上旅行了那么久，一定很久没吃过家乡的东西了，以前我在香港工作过，会做些广东菜，今天我去超市买了中国米粉，做了一个三丝炒米粉，我猜你一定会喜欢。”

今晚有好友自远方来，又有伊曼的爱心牌三丝炒米粉，我心情大好，对成康远说：“你先去整理行囊吧，今晚我来下厨！”

那天晚餐，我煮了米饭，又炒了一碟青椒土豆丝，再把米粉翻炒加热，两人美餐一顿。成康远大爱三丝炒米粉，差点没把吃完的饭盒舔干净。

“伊曼说她是在超市买的米粉，你要是想吃，我们明天去超市采购一些吧，贝鲁特是个大城市，我估计可以采购到一些中国来的食物，可能还会有韩国的食物呢。”我见他那么馋，便建议道。

“好啊，明天我们去采购，接下来你负责煮饭，我厨艺好，就来做菜吧。”成康远也雀跃起来。

“你厨艺好？”我疑惑地说，“上次在大不里士，你做的韩式鸡肉粥可不怎么样啊。”

“那次是饿晕了。”成康远不服道，“我以前在海军服役，第一年被安排做了炊事，兵役后去欧洲学英语，在马耳他租了七个月房子，结果除了把欧洲和北非几十个国家玩了一遍，其他时间就是待在房子里做菜。最后英语没学到，厨艺倒是大增。”

“哈哈，哈哈……你学英语干吗去马耳他，不去英国啊？”他的话差点没把我笑翻，这家伙英语水平也就比我好一点点，原来还是专门去欧洲学过的！

“马耳他在地中海中间，也是讲英语的嘛，而且去欧洲、北非旅行都很方便。”他辩解道。

第二天我们找到一家大超市，直奔食品柜台。那里的确有很多中国商品，我们翻了一下价签，却深受打击：一小袋米粉3750黎镑（180黎镑约等于1人民币），我们起码得吃三袋才能饱；一盒50只装新加坡进口的饺子55000黎镑；一盒香菇48750黎镑……

翻翻口袋，我还剩下900美金，成康远也只剩下1100美金，接下来我们还要在黎巴嫩、叙利亚、约旦、以色列、巴勒斯坦、埃及六个中东国家旅行一个月。

成康远想了想说：“还是不要买这些了，我们买瓶酱油，买些土豆，今晚我来做一个日式土豆汤吧。”

晚上旅馆又来了个日本人，我多煮了一人份的米饭，做了一个西红柿炒蛋，成康远用酱油、土豆、洋葱等煮了一个“日式土豆汤”。

这次他倒是发挥出了传说中炊事兵的水准，我和日本小子边吃边夸赞：“你可以在贝鲁特开个餐馆，一定可以赚很多钱。”

之后的两晚，我们也都如此做饭。我拿到埃及签证后，临走那天伊曼又开车到旅馆来，把我们送上去叙利亚首都大马士革的巴士后，又从窗口递上两大包黎巴嫩糕点，才与我们依依分别。

★热水壶里炖鸡翅

在传奇背包客查查的掩护下，我们做完了这顿饭。

从叙利亚首都大马士革去约旦首都安曼那天，叙利亚境内一路都下着暴雨，到了约旦又刮起了沙尘暴。

通关的时候，成康远说：“希望你今天运气好点，不要像前两天在黎巴嫩和叙利亚边界那样，被签证拖那么久。”

前天晚上，我们从贝鲁特抵达大马士革，叙利亚海关给了成康远落地签证，却想把我打发回贝鲁特去。我在海关抗争了四个多小时，最后吵到海关一个领导的办公室里，才拿到签证。

多亏了伊曼给我们准备的两盒黎巴嫩糕点，才让我们没在边境饿晕。

安拉保佑，今天很幸运，约旦海关很快就给了我落地签证。我们兴高采烈地上车，对司机说："嗨，兄弟，麻烦你开快点，我们还想下午早点到安曼，去市场买菜做饭呢！"

傍晚，我们在安曼找了旅馆安顿下来后，上街就去找菜市场在哪里。

在市中心一个著名的清真寺边上，我们找到了一个菜市场，不大，由井字形四条小巷组成，商贩们各自在路两边和路中间搭起棚子，摆上货架，靠外的部分售卖蔬菜水果，靠里的部分售卖肉蛋类和干货。

最好玩的是，在这里商贩们招揽客人的吆喝，是用阿拉伯语"唱"出来的，抑扬顿挫，十分有韵律，市井氛围浓郁。

约旦物价不低，1第纳尔相当于10元人民币，而菜市场一公斤鸡肉或者牛肉要8第纳尔，一公斤羊肉要12第纳尔。还好这里和伊朗一样，鸡翅比较便宜，我俩饿坏了，就一次买了一盒八只鸡翅，一共3.3第纳尔，还有两颗洋葱、一根胡萝卜，一共0.5第纳尔，最后再跟店主讨了两颗大蒜。

“要不今晚做日式土豆炖鸡翅吧。”成康远说，“我包里还有我们在黎巴嫩吃剩的土豆。”

在黎巴嫩时，我们采购了一瓶葵花籽油、一瓶酱油、一瓶叙利亚辣酱、两公斤大米。成康远定义日式跟韩式汤的区别，就是日式汤里放的是酱油，韩式汤里放的则是韩国特有的酱料。

我们在亚兹德一家叫“丝绸之路”的旅馆煮面条时，老板说：“每个到我们这里的日本人，都会吃当地的食物，中国人和韩国人总喜欢自己做点什么。”

我倒是感觉中国人不会这么做，除非当地物价太高，否则还是喜欢出去吃当地菜；但路上遇到的韩国人，的确每个人的背包里都带着从韩国背出来的辣椒酱、泡面什么的。

成康远也印证了这一说法：“在路上韩国背包客相遇，如果能送对方一包辛拉面，那会是最好的礼物。”

他自己出门时，单韩式辣酱就背了四瓶，到伊朗就吃完了。后来他在网上查到韩国背包客留下的信息，说约旦的安曼有一家韩国超市，就心心念念地想去一趟，补充点存货。

第二天刮起大风雪，我去以色列大使馆办签证，虽然成康远不需要提前办理，可以去边境落地签，但他还是陪我一起去了。

递交申请后，我们按网上给的地址，冒着刺骨寒风找到那家韩国超市，成康远如愿买到了一盒韩国酱料、两瓶韩式辣酱、两包海藻干。其实超市里还有韩式面条之类的食物，但实在太贵，我们买不起。

然后，成康远兴高采烈地去市场采购了鸡翅、土豆、洋葱、大蒜。

回到旅馆，他兴致勃勃地用韩国酱料腌制了鸡翅，炖的时候再放入韩式辣酱。一边做菜，他一边意犹未尽地说："最好是放很多很多鸡块，但现在没有钱，只能放一点鸡翅膀，多放些土豆。味道没那么好，吃饱就行！"

菜烧好后，成康远又煮了两碗海藻汤，我负责煮饭，当晚又饱餐一顿。

第二天我们出去逛完景点，顺便买了菜回来。一进门，旅馆的老板就把我们拦住，说："你们俩昨晚是不是煮肉了？弄得旅馆里一股味道，今晚不许做肉食。"

这家小旅馆只有一个楼层，厨房就在接待客厅旁边，我们的多人间只隔客厅三个房间，的确很容易飘出味道。但我们已经买好了鸡翅，还多买了四只鸡蛋，准备重温昨晚的韩式土豆炖鸡，无奈只好拿回房间想办法处理。

呆坐了一会儿，我突然想起自己在路上带了一个小小的电热水壶，每次大概可以煮半升多一些的水，心生一计，便对成康远说："这样吧，我们趁老板不注意，进厨房偷一把刀子和一些盘碗回来，你把鸡翅切小块，腌制好，然后把土豆洋葱什么的拌好，用我这个小热水壶，分四次煮就可以，煮好之后混在一起就是一道土豆炖鸡了。”

这两天，旅馆的多人间只有我们两个客人，行事方便。偷来厨具后，我故意把大米和海藻拿出去，到老板面前晃一晃，说：“你看，我们今晚就煮米饭和海藻汤哦，没有肉。”然后进厨房淘米做饭，煮下后就回房间帮忙。

我们把房间窗户打开，跑到门口检查，没办法，还是飘出去了一点味道，幸好不太浓。我的热水壶烧开水后开关会跳掉，成康远要一直拿把勺子顶在开关的地方。

我说：“你在这顶着，我去外面找老板聊天，让他没时间过来。”

老板正在客厅看电视，我过去打了声招呼，坐在旁边，绞尽脑汁找话题。

“哈哈，今天去以色列大使馆，以前听说以色列人跟阿拉伯人关系不好，今天打车去那边，司机倒是说不介意呢。

“那些犹太人真抠门，今天大风大雪的，让我们站在大门外面等，也不肯给地方让我们避风雪，冻死我了。

“今天犹太人还没给我签证。你知道吗，以前有个中国背包客，在安曼这里办埃及签证，等了四十天。我们中国人出来旅行不容易啊。”

这位背包客的签证故事，我是在网上看到的。

没想到老板一听我说起这件事，就跳起来说：“啊，你说的是查查吧，他当时就住在我的旅馆，住了四十天。”

真主啊，不会那么巧吧。

老板看上去很兴奋，把我拉到他的电脑前，说：“我电脑上还有他的照片，我打开，你看，就是他吧？”

关于查查的传奇故事，只有少数资深背包客知道。他已经出来旅行了两年多，依然在路上。他在伊朗德黑兰奔走了大半个月，拿到土耳其七天的签证，虽然只有七天，却是在没有电视台或其他单位给开证明，又没有欧美发达国家长期居留签证的情况下，中国普通背包客在伊朗拿到土耳其签证的唯一成功案例。

老头子说起查查的事兴致勃勃，真是“哥不在江湖，江湖却流传着哥的传说”。

在查查的掩护下，我们顺利做完了今天的晚饭。小热水壶煮的韩式土豆炖鸡，别有一番风味。

★ 橄榄山上的易卜拉欣先生

我们一不小心住进了名人家，还要他给我们做饭！

犹太教徒说：这里是上帝赐予的土地，自古是犹太人的都城；

基督教徒说：这里是耶稣传教、受难、复活的地方，神圣无可取代；

伊斯兰教徒说：这里是先知穆罕默德夜行登霄，和天使加百列一起见到真主，接受启示的圣地；

这里，就是圣城耶路撒冷。

我和成康远来到耶路撒冷，住进了橄榄山上的易卜拉辛先生家。

橄榄山位于耶路撒冷老城东部，是耶稣以前布过道的地方。易卜拉辛是穆斯林，他的家免费向任何有需要的人开放，不论国籍和宗教信仰。

易卜拉辛家这条信息，是成康远从其他韩国背包客处得来的，他比我早一天到耶路撒冷，到达当晚便住了进去。

那天下午，我按成康远留言的方法到了橄榄山，询问路人易卜拉辛的家在哪，很快有在路边嬉戏的几个小孩子把我领去。

那是一幢四层的楼房，门前一个小院种着葡萄树。易卜拉辛不在家，成康远也出去了，接待我的是一对丹麦来的夫妇。男的戴顶渔夫帽，留一撇小胡子，瘦瘦小小，妻子白白胖胖，和蔼可亲，留一头银色卷发，俩人长得就像安徒生童话里的人物。

“安徒生”先生带我到多人间去安顿好，说：“易卜拉辛家的大门一直敞开，请当这里是自己的家就好，我们也是这里的住客，已经住了一个月。厨房、浴室、洗衣机等使用自便，客厅有无线网络，有密码，有需要帮忙的可以找我们。”

我在房间收拾东西时，没多久成康远就回来了，一进房间就瘫倒在床上说：“今天逛了一遍耶路撒冷老城，去了哭墙。刚才回来的时候，耶路撒冷的公交车太贵，想省点钱，自己爬上橄榄山，累死了。”

“哈哈，我还想等你回来我们先出去买菜做晚饭呢。我去看了厨房，很不错。”

“省省吧，易卜拉辛每天会做东西给大家吃的，虽然他厨艺不怎么样，但起码可以把买菜的钱省下来。”

休息了一会儿，我们便去橄榄山一处观景的地方拍日落，从这里可以俯瞰耶路撒冷老城。

犹太经典《塔木德》中有句话：“世界若有十分美，九分在耶路撒冷”。日落时分坐在橄榄山上，看整座耶路撒冷城笼罩在金色的夕阳下，圣殿山的金顶清真寺在斜阳照耀下，分外灿烂逼人。

我们到达时，正是穆斯林一天中最后一次朝拜的时刻，唱诵《古兰经》的声音从老城一直飘到橄榄山上，中间还夹杂着基督教堂的钟声。这也是耶路撒冷一天中最美、最神圣的时刻。

当年，橄榄山上遍植橄榄木，耶稣就是从这里前往耶路撒冷城，被钉上十字架的。橄榄山上的苦闷教堂，是耶稣遇难前度过最后一夜的地方。现在，橄榄山的山坡上是一片犹太人的墓地，在夕阳下，透着一股诡异的血色。这块土地，还承载了犹太人家园被毁、颠沛流离、又艰苦复国的辛酸历史。几千年来，为了争夺这片圣地，不知道发生了多少次残酷的战争，因此，也有人说：“世界若有十分忧愁，九分也在耶路撒冷。”

晚上，易卜拉辛先生回来了，大家互道一声：“爱莎兰瓦莱贡。”

易卜拉辛大约六十岁，身材不高，戴着巴勒斯坦人红白相间的头巾，颇似以前巴勒斯坦解放组织主席阿拉法特。他笑呵呵地说：“孩子们，我买了烤饼回来。等我下厨做一个豆汤，我们就开饭！”

其实旅馆的住客有几个年纪也不小了，可易卜拉欣一视同仁，统称大家为“孩子们”。

那晚，围在厨房的餐桌边一起吃饭的，除了我和成康远，还有一个从喀麦隆来此谋生的黑人、一个比利时小伙子、一个美国中年妇人，而“安徒生”夫妇没有来吃饭。

上了餐桌我才知道，易卜拉辛的豆汤，就是把豆子、洋葱、胡萝卜，还有一种不知名的蔬菜混在一起，加入各种香料，煮个稀巴烂。如成康远所说，他做的菜味道很怪，饭桌上的其他几个人看起来都吃得颇为痛苦。

我饿了一整天，管不了那么多，就着两张饼，一下子就喝下三大碗。易卜拉辛估计很难得看见有人那么欣赏他的“厨艺”，高兴得不断给我添豆汤，口里喊着：“孩子，多吃点，吃多点，食物很多。”

吃完饭，大家围着餐桌闲聊，易卜拉辛一边给大家煮薄荷茶，一边絮絮叨叨说这两天的事：“前两天到沙漠里去，给那里的贝都因人送去过冬的被子，那些贝都因人……”

他说英语的速度快，后面的我就听不懂了。

这时“安徒生”夫妇也进了厨房，取了些食材，自己烹饪起来。

易卜拉辛煮好薄荷茶，给每人都倒上一杯，我伸手接过，顺口问他：“易卜拉辛先生，你是一直在帮助别人吗？我的意思是说，就好像我们，旅行者，有需要的人，还有你说的贝都因人。”

“这是我们家的传统，从我爷爷开始就是这样。几十年前，我爷爷就修了这房子，所有人到橄榄山来，只要有困难，没地方住，没食物吃，爷爷就会帮助他们；后来，我父亲接过了这个工作；现在，我也这么做。”

大概因为我是新人，易卜拉辛自己也倒上一杯薄荷茶，坐到我身边，继续说他的家史：“这橄榄山上，我的家族有一千多人，我们是巴勒斯坦的穆斯林，但现在这里属于以色列。其实，从我爷爷那时候开始，我们家和一些犹太教拉比（犹太教的神职人员）就是好朋友，我们希望不要分彼此是犹太教还是伊斯兰教，大家不要战争，要和平共处。我爷爷帮助有需要的人，也是为了宣传这种思想，大家不论国籍，不论宗教，都可以是亲人，是朋友。”

说到这里，易卜拉欣喝了口茶，又招呼我和成康远两个新来的人去客厅。

客厅的一面墙上挂着许多照片，他开始介绍各张照片的历史：“这张是我爷爷的，是《美国国家地理》在1950年代报道我爷爷的事；这张是我父亲；这是我和朋友——犹太教拉比的合影，我们都提倡和平共处；这张是我和其他一些巴勒斯坦人，还有和以前土耳其总理的合影；这张是我去印度，在金庙做演讲，呼吁宗教间和平共处，那里有伊斯兰教、印度教、锡克教……”

这些照片里，给我印象最深的，是那张几个穆斯林和几个犹太教拉比，大家伸出手紧握在一起，代表和平共处的照片。

我又问易卜拉辛：“其实我对巴勒斯坦了解不多，只是在电视上，知道以前有一位很著名的人，叫阿拉法特，您认识他吗？”

“我们认识的。”易卜拉辛好像毫不意外，继续给我们介绍照片，“我是巴勒斯坦人，没有护照，但我去过全世界很多地方，还去过欧洲、印度、美国许多地方演讲。你看，这是美国一个州给我颁发的荣誉市民证书，我不需要护照签证，随时都可以去很多地方。”

原来我们一不小心住进了名人家，还要他给我们做饭！我和成康远受宠若惊。

矮小的易卜拉辛先生在我们心里的形象一下子高大起来。

★ 去巴勒斯坦买菜，回以色列做饭

世上若有十分美，九分都在耶路撒冷。

但是，名人的光辉也无法改变易卜拉辛先生糟糕的厨艺。

有次聊天的时候，我和成康远说起习惯吃米饭，第二天上午易卜拉辛就去买了米。我和成康远白天去耶路撒冷城参观，晚上回来看到厨房里有煮好的米粒状食物，混合着香料，当天新来的三个日本人，每人面前摆着一个盘子，呆呆地坐在桌旁。

我和成康远逛了一天都饿坏了，觉得不管做法多怪，总是大米煮成的，就当是一种特殊的粥吧。于是我们也一人拿上一个大盘子。盛饭之前问那三个日本人："味道怎么样？"他们没回答，只是表情古怪地看着我们。

不管了，我们俩各自装上满满的一大盘，乐滋滋地坐下来准备享用。

我们吃进第一口，就不约而同地站了起来，冲到客厅外的厕所里，全部吐了出来！

我的天，我发誓从出生到现在，我还没吃过有这一半咸的食物！那是盐混合了许多香料的味道，咸得发苦。回到厨房，我们当着大家的面又不好意思倒掉盘里的饭，三个不厚道的日本人继续苦着脸坐在那里，幸运的是，他们刚才只盛了一点点。

过了一会儿，"安徒生"夫妇进了厨房，我们现在能理解，他们为什么每天都自己做晚饭了。

看到我们表情古怪，"安徒生"便问是什么情况，我说："锅里的食物，你尝一口就知道了。"

"安徒生"拿起一个盘子，边装边说："易卜拉辛的厨艺虽然不怎么样，但勉强还是可以吃的……”说完他送了一勺进嘴里，没再说话，径直走到厕所去。

他回来后说：“大门外面有一个盆子，用来装吃剩的食物，给附近的猫吃。”

我说：“猫吃了这些东西，一定会死掉的，还是不要倒在那里了。”

“那倒厨房这个垃圾桶里吧，一会儿我拿去扔掉。”

我们清理了盘子里所有的东西，三个日本人不好意思，说硬要吃下去。我和成康远搜出两袋泡面煮了吃，接着就回房间上网了。

后来问他们三个：“那些东西都吃完了吗？”

人家回答说：“嗯，吃完了，然后每个人喝了十几杯水，大杯的，现在需要一些肠胃药。”

我们对他们的坚毅表示无比的敬佩。

第二天早餐的时候，那个昨晚没来吃饭的美国妇人说：“昨天你们吃了易卜拉辛煮的东西没有？当时他正在跟我聊天，把半袋盐当做糖倒进去了，他说留在那里，看有谁喜欢吃就吃，我和他昨晚都没在这里吃，你们谁吃啦？”

我们和三个日本人都默不作声。

从这天开始，我和成康远又重操旧业，白天出去参观，傍晚回来时顺道去耶路撒冷老城的大马士革门菜市场，买菜回来做饭。

为了不打击易卜拉辛先生，我们找了个借口说：“我们习惯吃东亚的食物，几天不吃了，身体不舒服。”

耶路撒冷的菜很贵，我和成康远花了27谢克尔（约50元人民币）买了一斤冻牛肉，放在易卜拉辛的冰箱里，分三天吃；花4谢克尔买两个土豆和一个洋葱；大米、海藻和其他调味品是从约旦带过来的。

晚上吃完饭，我们照例在橄榄山上散步。看着耶路撒冷城夜景，我跟成康远说：“明天我们去巴勒斯坦的伯利恒参观，那边的菜价应该比较便宜一些，我们多买两个土豆回来，够两天吃。”

虽说巴勒斯坦已宣布建国，但没有自己的海关，以色列便在双方的边界修建了钢筋水泥、缠绕上铁丝网的隔离墙，通关的要道由以军把守，从易卜拉辛家的楼顶就可以看到最近的隔离墙。

坐公交车从耶路撒冷去伯利恒，不需要边检，直接通过。

参观完伯利恒的几处圣址，我们在圣诞教堂附近的菜市场买了四个土豆、两个洋葱和一些大蒜，4谢克尔，要比耶路撒冷便宜一半多。

买了菜，成康远对我说，他想步行通过隔离墙，因为那里有许多世界各地的和平人士画的涂鸦。

我和他一起走到隔离墙，发现果不其然，涂鸦里面还有不少韩国人用韩文涂写的。

我问那些写的是什么，成康远说："那都是些希望南北韩早日统一的话，在韩国，许多家庭没办法见到在朝鲜的亲人。"

他的话也让我感触不已，说："中国人也希望大陆和台湾早日统一。"

出以色列容易，进以色列难，通关回耶路撒冷时，我们排了长长的队，经过几重安检才被放过去。

从伯利恒到耶路撒冷，是耶稣从出生地到遇难地的路，论距离的话，坐公交车半个小时都不需要。

穿过隔离墙时，我又多了一个心愿，我希望高墙两边，会有越来越多像易卜拉辛先生那样的人，不再计较宗教的问题；希望这堵高墙像柏林墙那样，早日被推倒。

那时，去巴勒斯坦买菜，回以色列做饭，就是一件很方便的事了。

经常有人问我："谢谢，你是什么星座的？"

当听说我是巨蟹座的时候，对方总会叫道："怎么可能，巨蟹座都是很居家的，你这样的暴走族哪里像巨蟹座的人啊？"

我回答："我的确是很居家的啊，我的旅行也很有居家的感觉呢。"

以前上班时，我周末就喜欢自得其乐地去菜市场买点菜回来自己下厨。虽然厨艺不过尔尔，但看着一堆青菜萝卜、海鲜肉食在锅里翻弄几下，就成了一碟菜品，我觉得这简直就是一门艺术。

后来我旅行时，在看风景以外，还有一大爱好：每到一个地方，我都会去逛当地的菜市场，看看当地人一般吃什么菜，菜价大概是多少。

一路走来，我还给逛过的最喜欢的菜市场排了个榜单：

在旅游开发中保持风貌最好的，是加德满都阿山街附近的菜市场和耶路撒冷老城大马士革门菜市场；

色彩最艳丽的菜市场，是印度焦特普尔的萨达尔巴扎（有些地方称市场为巴扎）；

热带水果便宜又最好的，是越南大叻市场；

最具本民族风土人情的，是缅甸茵莱湖旁的鸟水市场；

享受海鲜大餐最棒的，是菲律宾长滩D' Talipapa（音：他的爸爸）海鲜市场；

逛市场经历最特别的，是巴基斯坦木尔坦巴扎；

手工艺品最精美绝伦的，是伊朗伊斯法罕的大巴扎；

最有人情味的菜市场，是伊朗大不里士的巴扎；

最具市井风情的，是约旦安曼大清真寺旁的菜市场。

每次逛菜市场的时候，总是很想买些菜回来自己加工，但南亚地区的风俗不欢迎外人进入厨房。加上当地的餐馆都便宜，自己动手的话，哪怕旅馆允许，也要交个柴火钱，成本更高，因此上半年也一直没有机会动手。

从伊朗开始，物价逐渐高昂，我必须从各方面想办法节省开支。中东地区什么都贵，就是石油天然气便宜，旅馆很乐意提供厨房，这也为旅行者自己做饭提供了便利。

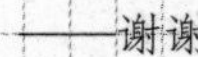

第八章

埃及不是我们的终点

和爱人一起过新年，比走遍世界重要得多。世界会一直在那里，谢谢和菜菜，会永远一起，**为爱走天涯。**

| 埃及 | 开罗 | 夕阳下的金字塔和旅人 |

当多年来觉得可望而不可及的东西，

出现在你的眼前；

当你一路跋涉，历经十个月，

从中国来到这里；

当你翻过世界屋脊，

走过四大文明古国，

穿越恐怖分子与毒贩横行的卑路支斯坦，

探索武侠小说里描绘的波斯异域，

走过历史文献记载的丝绸之路；

当你从一个懵懂无知的旅行者，

成为一个自由行走的背包客；

当你梦想的地方，

一个个在你面前呈现：

布达拉宫、珠穆朗玛峰、泰姬陵、蓝毗尼、明教波斯总坛、古波斯之都、地中海、死海、耶路撒冷圣城……

当你终于站在梦想中的尼罗河畔、古埃及金字塔面前，

你会是怎么样的心情？

以上这段话，写的是我在埃及第一眼看到金字塔时，梦想成真的心情。

在家乡读中学时，我们死党五个，三男两女，每年放暑假的时候，都要一起去附近的一个海岛玩，一直到上大学了都是如此。白天我们在海滩游泳、戏水，晚上并排躺在海边的礁石上，任海风吹拂。我们看天上的星星，谈未来的理想。有时，我们会谈到半夜，然后趟过涨潮的海水回去睡觉；有时会一直躺到天亮，看过日出再回去。

当说起以后想去哪里时，我记得大家都说："想去埃及，想去看金字塔。"

那时我们都是没出过远门的小城里的孩子，金字塔对我们来说，更像是代表梦想的一个符号。

那时候的梦想，就像海上的日出一样闪闪发亮。

现在我的那些死党们，一个是公务员，结了婚，有房有车，生活安定舒适；一个在制造企业上班，嫁给了同单位的帅小伙，夫妻恩爱，柴米油盐的日子也有滋有味；一个自己做点小生意，娶了年轻漂亮的老婆，已经有了小孩；还有一个在外企打拼，与德国男友的婚期已近，很快就要远嫁欧洲。

只有我这个不安分的人，某一天，和一个被女友抛弃的伤心韩国男，来到了埃及度假小镇达哈巴的红海岸边。从这里到金字塔，只要不到十个小时的车程。

埃及是我们旅行的最后一站，之后我就将结束十个月的旅行回到中国，成康远则回到韩国。

在黎巴嫩时，我身上还有900美金，由于省吃俭用，走完中东五国我只花了400美金。我甚至觉得，再这么省下去，自己还可以用这笔钱穿过东非的苏丹、乌干达等国，最后从肯尼亚回去。

但是不久前，菜菜发来信息说，学校放元旦假期，她可以回国，希望和我一起庆祝新年。

世界那么大，东非，一直会在那里，不必急于一时。对我来说，和心爱的人一起庆祝新年，要比穿越东非这种事重要得多。

我和成康远便开始计划在埃及的行程，成康远画了一个埃及地图的轮廓，说了他的想法。

我说："成，金字塔对我来说有特别的意义，我不想那么快就到。我想从这里绕过去，沿着红海，先到上埃及，去卢克索的国王谷；然后到阿斯旺，去阿布辛贝神庙；最后下到开罗，这就是我们旅行的最后一站，在临走前一天，我们再去金字塔吧。"

八天后，清晨，我们坐夜班火车从阿斯旺到达开罗，同行的还有在卢克索偶遇的另一对韩国夫妇。虽然前一天晚上，我们因为没有买到坐票，在寒冷的车厢之间哆哆嗦嗦蹲了一夜，但在开罗城一找到旅馆安顿好，成康远就迫不及待地拉我坐上了去吉萨的公交车。

虽然已经在图片上、电视上无数次看见过金字塔，但一想到马上就要身临其境，心里还是很激动，又有一点紧张，就好像是去见一个暗恋很久的女孩。

从开罗到市郊吉萨，公交车开了没多久就到了。车上远远就可以看到宏伟的金字塔，那是我期待了多久的地方啊。

然而真正到了金字塔下，我又有一点失望。和所有著名景区一样，金字塔周围也是游人如织。这里有许多座金字塔，但大家都围在胡夫金字塔周围。因为它是世界上最高的金字塔，比排名第二的高三米。这个世界的人们总是追逐第一的，因此胡夫金字塔前成为留下“到此一游”照片最合适的地方。

成康远没有我的“金字塔情结”，自然也没我挑剔，他马上加入了拍照的人群。

我帮他拍了几张“到此一游”照，他要帮我拍时，我一见四周都是浮躁的旅行团，便说：“人太多，拍了没意思，走，我们爬到金字塔的石块上去，坐一会儿，等到傍晚再拍。”

冬天金字塔的参观时间是到下午四点半，时间一到，骑着骆驼的警察开始驱赶景区内的游客。游客渐渐散去，我和成康远还是赖着不走。警察隔一会儿就来过赶我们，我们一边跑一边抓紧时间按快门：“好好好，没问题，我们走了。”“等一下嘛，我再拍一张。”

这时候游客已经基本上散光了，警察骑着骆驼靠近我们，对我们伸出五根手指：“拍照，50埃镑。”

意思是让我们在这里拍日落，但一会儿要给他50埃镑（约合50多元人民币）。

我含含糊糊地对他“嗯”了两声，继续拍，警察便离开了。

冬天的太阳早早西沉，游客散尽，这片荒漠仿佛又回到四千多年前的样子，瑟瑟朔风中，只有历经风沙的金字塔仍默默矗立。

忽然，远处一座金字塔边的地平线后，一个埃及人骑着骆驼闪出，一静一动，夕阳为它们剪出了沧桑的轮廓。

我看得呆住了，这才是我心目中金字塔的样子啊！那旅人和骆驼，仿佛是穿越历史来到了我的眼前，庄重得如同神启。那一刻，梦想成真的感动充溢着我的身心。这不是能用语言表达的事，为了来到这里，我跋涉万里，吃过签证官的苦头，受过势利者的白眼，放弃了原本安定的生活……但就在这一刻，我觉得一切都值得，似乎得到了未来的无限许诺——这，就是旅行的意义吧。

成康远捅了我一下：“快拍照啊，不然警察又过来了。”

我这才回过神，举起相机，手抖着按下了快门。

“嗨，50埃镑，50埃镑。”后面的警察骑着骆驼追上来，讨要那允许我们留下来拍照的钱。

“什么？你说什么？我不知道哦。”我大声说着，拉着成康远就走。

警察着急地骂了我们几句，却并没有追上来，大概他也知道索贿这件事不好声张吧。

晚上回到开罗，同行的韩国夫妇请我吃晚饭。因为第二天我就要回国，这一顿，就是我们的告别晚餐。

临行前收拾行李，我把在黎巴嫩买的那瓶游历了六个国家还没用完的菜籽油和剩下的一些大米留给了成康远，他还要在埃及待一个星期才回国。

成康远送我去坐机场大巴，巴士开来的时候，我们拥抱道别。

离开朋友的滋味真不好受，我硬着心肠上了车。谁知我刚上去，成康远就追了上来，一脚跨上车门，说："我还是送你到机场吧，这样在车上，我们还能多聊一会儿。"

从巴基斯坦一直到埃及，两个多月的同甘共苦，分别的时候怎是"不舍"这个词能了得？但送君千里终须一别，我转过身，堵住车门，劝他："从这里到开罗机场很远，现在太晚了，你到了那估计就回不来了，还是不要去了吧。"成康远只好作罢。

这时车上已经坐了不少人，我在后面找了个位子，刚放下行李，成康远又在车门边喊我："谢，过来靠门边坐，车还没走，我们还能聊一会儿。"

我把行李搬到车门边，席地坐下，与成康远聊着各自回去后的打算。时间过得飞快，车马上要开了，成康远用力把我往里面推，边推边说："回去后，有时想起了，我会在网上给你留言。"

“我也是，好好享受你最后一星期的旅行吧，再见！”

“代我向菜菜问好，你们快结婚吧！祝你们幸福！”车子都开动了，成康远向我喊出这句话。我对他用力地挥着手，仿佛只有这样，才能稍微驱走一些离别的悲伤。

十个月的路，坐飞机只要十多个小时。

在过去的十个月里，我早已习惯从一个地方赶到另一个地方，一共有四十个晚上在飞机、火车、汽车上，或者机场和马路边度过。所以，飞机一起飞，我就倒在椅子上睡着了，如同要去赶另一趟夜路。人在旅途的时间太久，我早已习惯一觉醒来，又到了一个完全陌生的地方。当我被飞机上的广播惊醒，知道自己已经降落在广州机场时，心里竟没有丝毫回家的激动，就好像旅行仍在继续。

这一天是2010年12月30日，到达广州时，已是傍晚。

我下飞机后做的第一件事，是回到我以前工作过的小城江门，到好友于玲的烘焙坊，亲手做了一个蛋糕。

十个月前，我在这里做了两盒曲奇饼干，上面写满想去的地方，带到了老挝，与菜菜在普西山看日落时分享。

现在，我走完了饼干上写的大部分地方，回来与菜菜重聚。

第二天一早，我带着蛋糕，到机场接菜菜。见到她的那一刻，我才恍然意识到，原来我们已经这么久没有见面。可我在旅途中的每一刻，都感觉她就在我的身边。

2010年12月31日的夜晚，我们用这个蛋糕庆祝我旅行顺利归来，庆祝菜菜顺利完成在美国第一学期的学习，充满希望地迎接2011年的到来。

对我们来说，2010年的长旅，只是踏出了环球旅行梦想的第一步。

It's not the end. It's just the end of the beginning.

（这不是终点，这仅仅是开始。）

谢谢和菜菜，会永远一起，为爱走天涯。

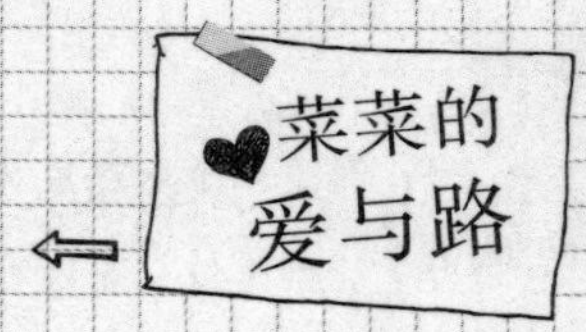

我和谢谢都明白，旅行并不是生活的目的。

很多旅行者在习惯了行走之后，就一直停不下来，当回到熟悉的城市时，简直感到生不如死的厌倦。

我和谢谢不想变成这样。

如果能有勇气为爱走出去，那么，也就该有勇气停下来吧。

我从不觉得环球旅行的生活特别值得骄傲，也不觉得固守一地的生活就多么无聊。

我们只是做出了自己的选择而已。

我和谢谢的偶像，是创立Lonely Planet出版公司的托尼和莫琳夫妇，因为他们的故事告诉了每一个人：成功，并不意味着要放弃梦想。

对我们两个来说，开出版公司什么的有点遥不可及，不过，开一家小客栈，招待世界各地的背包客，这个梦想，好像还有实现的可能。

虽然现在我们还是两个穷人，并且连客栈开在哪里都没想好，但两个人停下来的时候就会聊聊旅馆要几个房间，每个房间怎么布置，要有一个可以烧烤的天台，要有一个温馨的咖啡馆，要摆满我们从世界各地买到的装饰品……

嗨，真是两个乐观主义的傻瓜。

为了让咖啡馆有东西可卖，谢谢已经和好朋友学起了做甜点。

每一个梦想都有它的第一步，走出这一步，就有无限接近成功的可能。

——菜菜

编辑手记

给我一段仁爱路

文/方悄悄

是在2005年8月，我与当时的恋人一起，踏上了自己的第一次出国之旅。

我们从北京坐火车到云南，取道边境小城勐腊，到达老挝的古都琅勃拉邦；盘桓数日后，从万象坐火车去了泰国，最后在曼谷，我们按照约定，分道扬镳。

这是一段仅有二十天的旅途，却给我留下了长久不变的美好回忆。对那已成陌路的恋人，偶尔地，我仍然能想起他年轻而严肃的脸庞，想起他因为丢了帽子而返回香通寺寻找未果，回来见我时，那小男孩般将要哭起来的模样。

记得在云南与老挝的边境，我第一次过关后，居然还因为想问个无关紧要的问题，再次冲回那条代表“国界”的绳子，全然不知自己已经违反了边境法。

值勤的阿兵哥忙不迭把我往回拦，一个军官模样的再次检查我们的护照，忽然他抬起头来，很认真地对我说：“你跟你男朋友，你们一起旅行你可以放心，因为他已经走遍了全世界。”

事过境迁许多年，困在格子间已多时的我，当在穷游网上看见谢谢和菜菜“为爱走天涯”的帖子，忽然又有了找个相爱的人一起出走的冲动。

即使当时看到的只是“4万元穷游18国”的事迹，根本看不到“一本书”的影子，我还是想办法联系到了谢谢，告诉他，让我们出一本好看的书。

第一次见到谢谢是在北京的一家青旅，我和同事小岛带着合同去找他签字。穿过小西天牌楼，谢谢在那等着我们，第一眼的印象，他个子不高，皮肤黑黑的，是两广一带青年的常见长相，看不出多少传奇的样子，看上去，他和我们一样有点紧张。

我紧张，是因为这是自己第一次见一个完全素昧平生的作者；他的紧张，大概是之前不知道图书编辑会长成什么样。利用图书公司不甚丰厚的外勤经费，我们在青旅旁的一家小店吃烤鱼，烤鱼非常咸，我们要了一大瓶可乐，又加要了啤酒，一点点酒精下去之后，谢谢奇迹般地变得健谈了起来，我们也就是从这次谈话中，第一次梳理了我们这本书的脉络。

一个人，是怎样突然决定脱离安全的一眼看得到尽头的生活，毅然出走？

这种出走，却不是一种决裂，而是一种温柔。

与其说我佩服谢谢，不如说，我更敬佩愿意和他一起穷游天下的菜菜。很多女生毕生的追求，是“很多很多的钱，很多很多的安全感”，但曾在外资银行工作的上海女生菜菜，却同时选择了辞职穷游和“穷人”谢谢，放弃机票跟他坐大巴去老挝，上雪山徒步，为省钱睡机场……

我想，这个女生，一定非常的自信和坚强。

谢谢并不多说他和菜菜的感情，只是说到他们第一次在南迦巴瓦峰下相识，分别后并没有忘记彼此。后来他飞到上海向她表白，然后，他们就开始一起旅行。

旅行中虽然艰苦与波折不断，最大的危险却来自一次原本安闲的徒步，菜菜在雪山上被冻僵，那是他们最接近死亡与分离的一次经历。

这样电光石火的相遇，生死一线的考验，用力拥抱的倔强，好像小说里的情节，却真真切切地发生在了这一对普通的恋人身上。

那天晚上和谢谢告别之后，我和小岛好像都不太想说话。我忽然想抽烟，小岛倒出了烟盒里仅余的两根，我们就在那条散发着烧烤气味的街上，一直沉默地走着。

忽然小岛扔下了烟头，对我说：“悄悄，我知道为什么我一直都不想开始谈恋爱，为什么不能对那些所谓‘条件很好’的人有一点点心动的感觉了。

“其实，房子、车子、存款什么的，都没办法带给我任何的安全感。

“我内心深处真正想要的，就是一个能陪我走遍全世界的人。”

当然啦，小岛并没有跟菜菜抢男朋友的意思。

那天晚上，或许我们都在想，什么是爱情？年轻时我们都爱看三毛，觉得那样在沙漠里开出花的爱情真是浪漫到极致；可是后来，别人告诉我们说，那都是臆想出来的啦，连“三毛”这个人都不一定真的存在。

可是这个夜晚，我们真的忽然感受到了一些蛛丝马迹，一点像火星一样跳动的遥远又微弱的可能性，告诉我们，那样的爱情是真的存在啊，而且，很有可能就会发生在我们自己的身上。

只要我们肯迈出第一步。

我们也许不能像谢谢和菜菜一样洒脱，但有一天，也许能像谢谢和菜菜一样勇敢。

在这本书最终付印的时候，谢谢和菜菜又一次去了印度，继续着他们“为爱走天涯”的人生。

而当你翻开这本书的时候，是否怀着和我一样的说不出的期待？

在我仍然年轻，仍然有力气与人相爱的时候，曾经是那样渴望着踏上旅途，渴望着将与爱人同看到的每一处风景，每一寸天光，都深深地烙印在心里。

“给我一段仁爱路的时间，给我一枝花的怀念。”

如果你还不甘心就这样变老，如果你不想让你的人生中，由遗憾代替了憧憬，由疲倦代替了爱，那就——

像谢谢和菜菜一样，走吧！

因为，“我走错我没走错，至少，我没错过什么”。

后记1

看完这本书，就一起出走吧

文/张徽（菜菜的旅友，以后合伙开旅馆的搭档）

第一次见菜菜，是2005年在吴哥窟的一家小餐馆里。

那一年，我们都在普通的公司里做着普通的职员，只能趁着年假的时间圆一圆环游世界的少年梦。记得初次见面，菜菜就兴致勃勃地跟我讲起她坐热气球的经历，昏暗的小餐馆里，她的眼睛闪闪发亮（有可能是戴着眼镜的关系！），看上去就像“总有一天吓你一跳”的样子，充满活力。

后来，我们成为了朋友，一起去过几个国家，尼泊尔、越南、澳大利亚……这是一个不按时吃早饭就会低血糖头晕爬不起床的姑娘，但在旅行中却表现得很“疯狂”，甚至我也曾无奈地陪她在悉尼机场外边睡了一次洋板凳！

那时菜菜的MSN名字叫做“为爱走天涯”，导致每次聊天的时候，我都会暗想，这个疯狂的姑娘，真的能找到另外一个疯狂的人，陪她不顾一切地去流浪吗？

我原本以为，随着我们一天天变老，那些浪迹天涯的梦想会渐渐变得黯淡，终有一天我们会选择一条固定的轨迹，安于在别人的眼光中过活。至于环游世界，算了吧，总有一天我们要拖家带口，在炉火边细数自己的未竟之梦——也许这就是人生的常态吧。

然而奇迹就这么发生了，菜菜找到了我们这本书的男主人公——谢谢！

他们那南迦巴瓦峰下的浪漫爱情我就不多说了，据目击者称，那真的就是“闪电般的一刻”，王八看绿豆，互相就是对了眼！后来他们终于双双辞职，走上了穷游天下之路，作为朋友，我虽不感到意外，但多少还是担心：这么游山玩水不工作，没钱了怎么办？

对这个问题，谢谢是这么回答的：那就等没钱的时候再说吧。

我当即拜服。

这可不是说反话。其实当谢谢说出这句话来的时候，我才忽然反省：多少时候，我们都在为了明天而焦虑奔忙，而错过了今天可能的选择？

不管怎么说，谢谢和菜菜就这样上路了。

当谢谢结束了十个月的长旅，从埃及回到中国的时候，我就强烈要求：把你们的游记写下来吧！

那时并没有想过出书，只是觉得这样的事很有意义。

当大多数的人（也包括我在内）为了一套房子而画地为牢的时候，谢谢和菜菜至少代表了另一种选择，另一种可能性。一种“爱情还可以是这样”的浪漫，一种“只要想出发，现在就可以”的勇敢。

后来，谢谢和菜菜火了。一条被转发七万多次的微博，见证了他们的故事对年轻人的号召力。后来无数的报纸、杂志甚至电视台的采访让他们一下成了“名人”。我边打电话给菜菜祝贺，她却冷静地说：“出名并不是我们想要的。我们只是用自己的方式在生活而已。

菜菜和谢谢并不是什么英雄。他们只是用自己不顾一切的勇敢，点亮了我们心中那残存的梦想。

人，真的可以为梦想而活。

菜菜一直很喜欢“孤单星球”的创始人托尼和莫琳夫妇，也经常引用他们的一句话：当你决定了要去什么地方的时候，那么旅行中最大的问题已经解决了。所以，走吧！

她也经常与我说起她和谢谢的梦想：四十岁的时候，在海边开一间旅馆，专供旅行者居住；旅馆里要有一个咖啡吧，提供货真价实的香浓咖啡和好吃的甜品。

为了实现这个梦想，谢谢已经学会了做甜品。

谢谢和菜菜，请安心地为爱走天涯。作为朋友，我是你们坚强的后盾。

我会努力工作，努力挣钱，将来当你们旅馆的大股东。

后记2

旅行中的好朋友

文／成康远（韩国背包客，谢谢旅途中最好的朋友）

翻译／赵雅罗

谢谢告诉我，他要出一本关于旅行的书，关于他和女朋友一起旅行的“爱的故事”。

在这本书里，也写到了我。

因为我们是在旅途中结识的好朋友。

我们是在巴基斯坦的第二大城市拉合尔认识的，当时我想找个人一起去伊朗。

在旅行之前，一般人都会既期待又担心：期待的是看到新的世界，认识新的朋友，担心的则是旅行中遇到的人是否真的值得自己信任。当我一开始旅行时，本打算一个人走完全程。但在旅途中我渐渐发现，原来自己没有想象的那么强大，孤独的感觉时时都会有，甚至强烈得让人无法忍受。

在拉合尔，我和谢谢住在同一家旅馆。当时他并没有和女朋友在一起，而是和我一样孤身一人。我们都打算去伊朗，所以正好可以做伴。

一开始，我们并不是很亲密的朋友。彼此之间很有礼貌，也有点冷淡。我们并不是因为喜欢对方才一起旅行的，我们一起走，只是因为对方是自己唯一可以找到的旅伴罢了。

后来谢谢告诉我，他本来是打算一过巴基斯坦边境，就和我分开走的。

但是我们一起穿越了卑路支斯坦，整整一夜，我们在军营里喝茶聊天；部落武装的大卡车从我们旁边开过去，当时谢谢要我拍照片，但我不敢；从黎巴嫩到叙利亚的国境办事处里，他跟我一起等了整整四个小时，我们一点都没感到无聊……

就这样，我们不知不觉地成为了好朋友。

后来我和谢谢在旅途中分开了三次，又两次重新聚在一起。

在伊朗将要跟他离别的时候，我生病了，谢谢陪我去菜市场买了菜，我们做了韩国的菜来吃。我的身体好了以后，就经常和他一起逛菜市场，他终于发现我是一个很好的厨师。

后来，因为签证的问题，谢谢没有到土耳其，而是直接飞去了黎巴嫩。我穿过土耳其东部，十天以后，在贝鲁特的一家青年旅社和他再次见面。

我们最后的分别是在2010年12月晚上，埃及开罗。

我们分别的那个公交车站，能远远地看到塔河里勒广场，还有灯光下的高架路。本来我的计划是两个人再在埃及玩一周，但是他为了要回去见女朋友，坚持在新年前回到中国。

他走的时候我很舍不得，甚至想和他一起去机场。我们用英语说了告别的话，虽然不流利，但彼此都能体会到那感激又遗憾的心情。

在我这么多次的旅行经验当中，在一起的时间超过一个月的朋友，只有谢谢。

他带了很好的相机，把我照得很帅。旅行中，他给我介绍了很多善良的中国人。在贝鲁特，他的朋友为我们提供了很好的住宿、车辆。谢谢是一个非常热情、真实的人，到哪里都能获得别人的帮助。我很高兴，自己能在旅行中认识这样一个好友。

我们共同的旅行已经结束了，但是我很高兴他能把这一切写成书，纪念我们在一起度过的美好时光，这样的经历，我想一生中也难再次遇到。

我记得，有一次我和谢谢聊到旅行的原因，我告诉他，我是因为和相爱了几年的女朋友分手而出来做长途旅行的。

我想他一定在书里写到了这一点。

其实，在旅行中，我已经觉得没有那么痛苦。通过这次旅行，我也找到了自己人生新的方向。我要学习韩国文学（以前我是学计算机的，从事的是IT行业），然后到尼泊尔或者越南去教韩文。

亲爱的朋友，希望你幸福，希望我们哪一天还能再见。